Xeedho Dumar Wadaag Aleel Lagu Xadhkeeyay

Hooyada Africada Bari

Shells On A Woven Cord

MAMA East African Women's Group

MAMA East African Women's Group
2000

This second edition published in 2000 by
MAMA East African Women's Group,
Workstation, 15 Paternoster Row, Sheffield S1 2BX, United Kingdom
First published by Yorkshire Art Circus
and MAMA East African Women's Group in 1995

© Diiwaan / Text:	MAMA East African Women's Group
© Sawirka jeldiga / Cover Image:	Pat Forbes
© Sawir metelaha / Illustrations:	Pat Forbes
Isku dubaridka / Editing:	Akulah Agbami
Isku dubaridayaasha guud / Editorial team	Akulah Agbami, Amina Souleiman, Olive Fowler
Turjumaad / Translation:	Amina Souleiman
Daabacaada / Printing	Peepal Tree Press, Leeds

ISBN 0-9531101-2-5 2nd edition
(ISBN 1-898311-09-9 1st edition)

Mahadnaq

Ururka MAMA, Hooyada Africada Bari waxay u mahadnaqayaan:

Amina Souleiman oo ah turjumaha buugan qayb laxaad lehna ka qaadatay isku dubaridkiisa.

Haweenka ka tirsan Ururkan MAMA oo dhan

Mama Ambaro Madar Hassan
Mama Asha Abdillahi Mohammed
Mama Fatima Ali Zinzibari
Mama Osob Abdillahi Mohamed
Mama Amran Souleiman
Mama Haweya Ebrahim Adari
Mama Shuun Abdi Hassan
Mama Shurgi Mohamed
Mama Ismahan Kulan Yonis
Mama Amina Souleiman
Mama Ougbad Warsama
Mama Zulekha Musa
Mama Fatima Osman
Mama Khadija Abukar
Mama Mako Adan
Mama Mariam Yusuf
Mama Kinsi Muhumed
Mama Roda Souleiman
Mama Hodan Ahmed
Mama Asha Dalal
Mama Faisa Warsama
Mama Anab Ali

Dariiqaad u mari layd

Aduunyadu way qiiro badan tahay, qaarad waliba waa reer, qaranimadu waa ruux, waa qof iyo dadnimadii.

Africa waa urur haween aqoon dheer, af qudhay wadaagaan, iyagoo is garabsaday, isu jiibinaaya, isku kalsooni wayn qaba ayay dunida eegeen.

Ayaamahaba qaarbaa kugu soo adkaadood isla hadal naf moodaa, qaarna waad istareexdaa dhibkii baad ilowdaa, qaarbaad asxaabtiyo eheladaada shirisaa aad durbaano tumataa, qaarbaad umal la tiicdaa maytida u oydaa, abaalkii laguu galay marbaa lagaaga aayaa, marbaad Eebehaa iyo salaadaada eegtaa inta kale ilowdaa.

Haweenkaa is urursaday hooyadii u weynayd Hooyo Soomaaliya ayaa hurdo dheer ka toostoo, dhex jibaaxday hawdoo, dhibtii raaskeeda taaliyo hoos u dhugatay baradeed. Dhererkooda buuraha, webiyada dhamaantood dhiigbay ku aragtaa, dhulku wuu qarsoon yahay. Dhinacaa badweyntiyo xeebtay dheelka saartoo heeryadeedii dhigatay.

Mawjadaha is daba-yaal iyo laydh macaanoo dhacaysay ku maaweelisay nafteedii. Quruxdii dhulkeediyo, qorax soo baxaysiyo, amaanbay u qalantaa. Hablahay dhabteediyo dhabarkeeda saartaa dhamaantood isugu yimi. Qaarbaa dhul dheer iyo qaarad kale ka yimiyoo dhalandhool ka muuqdaa, qaarna way dhasheenoo dhabtaa lagu hayaa weli.

Ciidi way qarsoontoo, ilyartaa is qabatay. Haween qiimo badanoo qarad weyn leh baa yimi. Muraadkoodi guud iyo dantii meesha

keentay u miliiliceenoo, mid waliba markeeday marisay mahadhadeedii. Xeedhaa dhex taaloo ay xabad qaadayaanoo xadhigeeda dahabka ah tidcayaan xudumihiisii.

Milicdii dharaareed kamay hoyanin dhamacdii. Goor ay caways tahay, ay cadceedi hoyatay, dayaxi gaafka soo rogay, ayay hooyadii u weynayd Hooyo Soomaaliya hareerteeda eegtay oo hablaheedi dhugatay. Socdaalkooda hiilka leh, way u bogtay heensihiisii. Haweenkiyo dhalaankii hambalyay u fidisay. Iyana way gudoomeen.

Haweenkii Sheffield bay hal abuur ka dhigatoo halxidhaalihii iyo ka bilowday heestii.

Xeedho dumar wadaag aleel lagu xadhkeeyay.

Haweenay wax garadoo, garaad Eebe siiyoo, gu'geedu aad u weynyoo, guubaabo badan baa u gilgilatay geeraar. Hore ayay u guratoo, golihii bay istaagtay. Dabadeedna guurtidii iyo gabaygii bay bilowday.

Waan ogahay cidaan ahay

Haween ururay baan ahay
Kala iridhsan baan ahay
Africada baraan ahay
Soomaali baan ahay

Waan ogahay cidaan ahay

Agoon jilicsan baan ahay
Isticmaar helaan ahay
Laga adagyay baan ahay
Umal ciirayaan ahay

Waan ogahay cidaan ahay

Qaxootiga Irdhoobee
Aduunkaa ku kala lumay
Kala iridhsan baan ahay
Africada baraan ahay
Soomaali baan ahay

Waan ogahay cidaan ahay

TVyada la daawado iyo
Warka waan ka diidaa

Macaluul is daba taal
Darxumo aan dhamaanayn
Gacan hoorsi dibadeed
Dagaalkaa sokeeyiyo
Dulmigaa xad dhaafka ah
Waan diiday digashada

Waan ogahay cidaan ahay

Ilbaxnimo gabowdoo
Boqoro ay abuureen
Al-haraamo dhaadheer
Dawo aan la helin weli
Reer Yurub ku daaleen
Amba waan ku faanaa

Waan ogahay cidaan ahay

Gumaystaha galbeedee
Hubka igu guraayee
Gurigaygii dumiyee
Iga duubay filinkee
Farta igu godaayoow
Faraj baa la ii furi

Waan ogahay cidaan ahay

Ma maadii aduunkiyo
Filin baan ahaanuun
Ma ololka iyo dhamacdaan
Abidkay ku jirayaa

Waan ogahay cidaan ahay

Waa in aan arimiyaa
Aduunyadu i aragtaa
Amarkayga maqashaa
Odhaahdaydu socotaa
Africa dhabaqa daysaa
Dhabarka jeedshaa Maraykan
Reer Yurubna dhuuntaan

Waan ogahay cidaan ahay

Haween ururay baan ahay
Kala iridhsan baan ahay
Africada Baraan ahay
Soomaali baan ahay

Gabadh yar oo dhooray ah ayaa is taagtay oo iyada oo sanqadha dhawraysa hore u martay. Mawjadaha badweyntaa dhirbaaxaaya qooriga, dhalaalkiisa dayaxana daruurahaa dhimaayoo kolba dhinac ka maraya. Faisa waxay ka bilowday hadalkeedii.

Markii aan joogay Soomaaliya ayayday ayaa sheekooyin nooga sheekayn jirtay. Imika oo aan ku noolahay magaalada Sheffield TVga ayaan daawadaa, Filin la yidhaahdo 'Neighbours' ayaan jeclahay. Sheekooyinkii ayayday iiga sheekayn jirtay waxaan ugu jeclaa sheeko la yidhaa 'Saaxiib'. Sheekada Saaxiib waxay ku saabsanayd laba hablood oo walaalo ah iyo dacawo la yidhaa 'Dayo'.

Labada hablood ee walaalaha ahi maqasha ayay raaci jireen inta ay hooyadood hawsha guriga ku jeedo. Dacawada Dayo maqasha ayay ka xadi jirtay hablaha. Marka ay dacawadu nayl ama waxar cuntaba

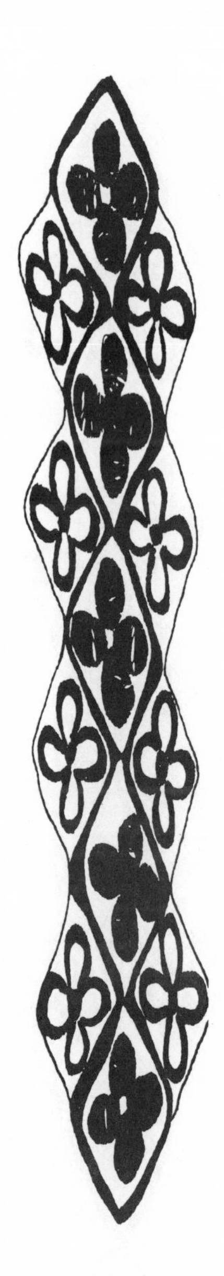

hablaha waa la dili jiray oo hooyadood ayaa dili jirtay. Maalintii dambe ayay hablihi dacawadii u heeseen. Waxay ku yidhaahdeen.

Naa hooy Dayooy heedhe
Dayo Faaraxeey heedhe
Waa la'i dilayaaye
Waa la'i dabayaaye
Ha ii soo dhowaan dhoosay
Ha ii soo dhowaan dhoosay

Dacawadii Dayo waxay maqashay heestii, markaasay si wacan u dhagaysatay oo ku raaxaysatay. Markii ay heestii dhegaysatay way isku qoomamaysay maqashii ay ka xaday hablaha. Dabadeed inta ay u tagtay hablihii ayay raali gelisay. Hablihii iyo Dayo saaxiib ayay noqdeen.

Haweenay dhalin yar oo caruurteedi dhabarkiyo dhabteeda ay ku jiifaan ayaa gacanta taagtay. Anigana markayga i dhegaysta dumaroow. Daalbaa inaga muuqdoo, caruurti ay dareentee, sheeko aad u da' weynoo aad hore u maqasheen aan idin xusuus-sho.

Beri hore waxaa jiri jirtay gabadh la yidhaahdo Dhegdheer. Dhegdheer waxay lahayd laba hablood. Dhegdheer iyo labadeeda hablood waxay ku noolaayeen aqal weyn. Dhegdheer hableheeda dibeda way u diidi jirtay. Dhegdheer waxay ahayd dad qalato.

Subaxii dambe ayay Dhegdheer dibeda qabatay oo cunto doonatay. Iyada oo xarago u talaabsanaysa ayay duurka xushay. Intii ay dibeda ku maqnayd ayaa gabadh yar oo rajo ahi timi gurigii Dhegdheer. Hablihii Dhegdheer dhashay ayaa soo dhoweeyay gabadhii yarayd iyaga oo naxsan kana baqanaya inay Dhegdheer aragto oo qalato.

Hablihii dhegdheer dhashay gabadhii yarayd caws ayay ku duubeen oo ku qariyeen, waxaanay ku yidhaahdeen halkaa ku jir oo ha ka soo bixin marka ay hooyaday timaado.

Markii ay dhegdheer timi ayay urisay gabadhii yarayd, waxaanay tidhi, 'waxbaan urinayaa, ma qofbaa aqalka jooga?' Hablihii ayaa ugu jawaabay, 'Maya! hooyo macaan cid aan anaga ahayni ma joogto.'

Dhegdheer waxay lahayd dheg dheer oo hoos u dhacda marka ay seexato. Gabadhii yarayd ee rajada ahayd ayaa iyada oo hoos u xanshashaqaysa ku tidhi hablihii marka ay dhegdheer gama'ado waa inaynu dilo. Markii Dhegdheer gama'aday ayay hablihii digsi biyo ah dabka saareen oo karkariyeen. Markii ay arkeen in Dhegdheer hurdo dheer gashay oo khuurisay ayay biyihii kululaa kaga shubeen dhegtii dheerayd.

Hablihii inta ay farxeen ayay geed dheer koreen oo dushiisa ka dhaanteeyeen. Waxay ku dhaanteeyeen.

Dhegdheer dhimatoo
Dhulkii nabadeey
Reerii xalay guurayoow nabadeey
A'ha'ha, a'ha'ah, a'ha'ah.

Markii ay Dhegdheer dhimatay dhulkii nabad ayuu noqday. Dadkii guuray ee Dhegdheer horornimadeedii ka qaxayna way soo noqdeen oo amaan ayay heleen.

Hooyadii dhalinta yarayd markii ay sheekadii dhamaysay haweenkii ayay iyada oo ilka cadaynaysa dheehatay. Sheekadii Dhegdheer haweenkii dhegaysanayay qiiro ayay gelisay. Mid waliba nafteedii ayay hoos ula xanshashaqday oo baadhay qalbigeeda.

Cirku wuu madow yahay, haweenkina cawayskiyo cadaloolkii bay la jiifaan. Afar dumar ah oo dhalin yar, isku duubni jeceloo, asxaabnimo dheer wadaagaa isku darsaday hadalkii. Iyagoo is baal socda ayay golihii is geeyeen.

Aan ugu horeeyee Faadumo ayaan ahay. Waxaan ku dhashay magaalada Hargeysa, waqooyiga galbeed ee Soomaaliya. Waxaan la dhashay afar wiil iyo afar gabdhood. Aniga oo ka mid ahaa caruurta reerkayaga kuwa ugu yaryar awgeed, hooyaday iyo walaalahayga iga waaweyniba si dheeraad ah ayay ii daryeeli jireen.

Waxaa iskuulka la igaga daray magaalada Hargeysa, markii aan dhameeyay dugsigii dhexena waxaan galay Dugsiga Caafimaadka ee Hargeysa. Waxaan bartay dawooyinka iyo sida loo sameeyo. Markii aan ka qalin jebiyay dugsigaa waxaan shaqo ka helay Warshada Dawooyinka ee magaalada Xamar, taasoo aan ka shaqaynayay ilaa iyo maalintii dagaalku ka dhacay waqooyiga Soomaaliya.

Dagaalka sokeeye ee ka dhacay dalkayga sheekadiisu way dabo dheer tahay. Siyaasada, dhaqaalaha, nabad gelyada iyo xaalada guud ee dalku marba marka ka dambaysa way xumaanaysay. Taas ayaana keentay in aakhirataankii hub culus la is weydaarsado. Waqtigaa isaga ah waxaan joogay magaalada Hargeysa, oo aan fasax gaaban ugu tegay reerkayaga.

Waxay ahayd saq dhexe markii uu bilaabmay gariirkii hubkii cuslaa ee la is weydaarsanayay. Si lama filaan ah oo deg-deg badan ayaa wax waliba u dhaceen. Waxaa intaa iigu xigtay, inaan is arkay aniga oo ka talaabay xuduudka Ethiopia. Goor aan orodka intaa le'eg orday iyo meel aan u socday toona garan maayo. Lix caanamaal ooni jidiinkayga kama degin.

Dagaalka sokeeye ee ka dhacay dalkaygii qaxooti keliya igama dhigin ee waxaa kale oo uu dumiyay hamadaydii. Garasho la'aanta Afka Ingiriisku dib ayay ii reebtay, waqti badana way iga lumisay.

Waxaan rabay in aan cilmigii aan aqaanay wato kuna shaqaysto. Ha yeeshee, way adag tahay sida aan ugu shaqaysto cilmigaygii ilaa aan si fiican afka Ingiriisiga u barto. Weli waan wadaa barashadii afka Ingiriisiga, waqti ayaanay igu qaadan doontaa sida aan ku gaadho heerka aan rabo.

Nolosha Yurub waa mid aad u adag. Way adag tahay sida lagu helo shaqo wacan. Qof shaqo wacan haysta ayuunbaana nolol wacan ku noolaan kara wadankan. Dadka reer Yurub waa indho ku garaad leh. Haddii lebiskaagu qurux badan yahay meeshaad tagtaba weji furan ayaa lagugu soo dhoweynayaa, hadii kalena cidi dan kuu geli mayso. Intii aan deganaa Ingiriiska aqoon ayaa ii korodhay. Inkasta oo faraq weyni u dhexeeyo dhulkii aan ku noolaan jiray iyo kan aan hada ku noolahay, hadana bini'aadmigu meeshuu joogaba waxyaalo badan ayay iskaga mid yihiin.

Ilaahay ayaa weyn oo waaxid ah, aduunyadiisuna waa ta ugu cajaayibka badan wax kasta oo cajaayib leh ayay Hodan ka bilowday weedheedii. Waxaan ku dhashay Hawd, miyiga Ogaadeeniya ee Africada Bari. Hooyaday markii aan dhashay ayay dhimatay waxaana i korisay ayayday. Markii aan yaraa ayaa waxaa la ii sheegay in aabahay tacabiray oo dhul fog u shaqo tagay. Waxaa la igu yidhi bad wayn ayuu ka talaabay, waxaanu tegay dhul aad u fog oo u dhow halka cirka iyo dhulku iskaga dhegsan yihiin. Waan ka naxay sheekadaa, walaac weyn oo iga oohiyay ayaanay igu riday. Waan u yax-yaxay miskiinkii i dhalay, mar walbana waan ku riyoon jiray, inkasta oo aanan arag muuqiisa. Ilaahay ayaan baryi jiray inuu nabad geliyo aabahay.

Sheekadi marba marka ka dambaysa madaxayga way ku fiday, marwalbana dadka ayaan weydiin jiray inay aabahay wax yarna iiga sheegi karaan.

Waan guursaday waxaanan degay tuulo la yidhaahdo Oodweyne. Maalin maalmaha ka mid ah ayaa nin qurbaha ka yimi oo i daydayayaa yimi Oodweyne. Ninkii wuxuu ii sheegay inuu warqad iyo lacag iiga sido aabahay. Waqtigaa isaga ah dheri ayaa dabka ii saaraa oo cunto ayaan karinayay. Farxad awgood ayaan iloobay dherigaygii oo inta aan fadhiistay ninkii su'aal ku bilaabay.

Siniintii dherigii aan karinayay oo gubtay ayaan ku hambabaray. Aniga oo aan waxna qorin waxna akhriyin awgeed ayaan ku cararay Dugsigii Oodweyne si caruurtii dhiganaysay iigu akhriyaan warqadii.

Warqadii waxaa la iiga akhriyay in aabahay bad-mareen yahay, gabadh Ingiriis ah qabo, dhalayna saddex caruur ah. Horta hore ee horaameed, waan ku farxay warka aan ka helay aabahay. Laakiin waxaa walaac igu riday gabadha cad ee uu guursaday iyo caruurta iska dhalka ah ee uu dhalay. Waan ka xishooday inaan dadkii u sheego inuu aabahay gabadh cad guursaday, dhalayna caruur iska dhal ah. Waa mid ay aad uga xishoodaan dadka aan ka dhashay, laguna kala dhinto. Markii ay adeeraday warkii maqleen, madaxa ayay ruxeen, waxaanay ku tilmaameen aabahay wax dhintay.

Dan iyo muraad umaan gelin wixii ay dadku yidhaahdeen. Aad ayaan u jeclaa aabahay waanan ku farxay warkii aan ka helay, xidhiidh fiican ayaana noo bilaabmay.

Ana waa markaygee aan mariyo sheekada. Waxay khadiiji ka bilowday hadalkii 'qofna ma oga halkuu ku dambayn'. Waxaan ku dhashay magaalada Xamar oo ah magaalo madaxda dalka Soomaaliya. Waxaan qaxootinimo ku soo galay dalka Ingiriiska sanadkii 1991kii. Aabahay baayacmushtar ayuu ahaa marar dhawr ah ayaanan u raacay dalalka Talyaaniga iyo Jarmalka intii aan dagaalku ka dhicin koonfurta Soomaaliya. Taas oo ii suura gelisay in aan arko magaalooyinka Yurub qaar ka mid ah.

Waxaan ka qalin jebiyay Dugsiga Dhaqaalaha ee magaalada Xamar. Markii dagaalku ka dhacay dalkayga waxaan u xidh-xidhnaa in aan wax barasho u aado dalka Talyaaniga. Aabahay Xamar ayaa lagu dilay, hooyadayna Kenya ayay joogtaa.

Aniga oo ah ilmaha keliya ee aabahay iyo hooyaday dhaleen awgeed, waxaa mar walba madaxayga ku jirtay in aan reer yeesho caruur badana dhalo. Laakiin hada taasi waa mid madaxayga ka baxday oo raacday burburkii dhulkayga. Sababtu ma aha iyada oo aanu kala lunay wiilkaan madaxa ku hayay in aan reer la yag-yeesho keliya ee waxaa iga luntay kalgacalkaan u hayay hooyanimada markii aan arkay darxumada haysata caruurta reer Africa.

Inkasta oo aanan la dhalanin walaalo, hadana mar walba waxaa i hareera joogay ilmaadeeraday, habar-wadaagahay, inaabtiyaday, caruurtii jaarka iyo asxaabtaydii. Waligay hada ka hor cidla ma dareemin. Dagaalka sokeeye ee ka dhacay dalkayga noloshaydii aad ayuu u bedelay, waxaanu ii dhigay casharo adag. Iyada oo aanan geli karin wax barasho buura ah awgeed saacado ayaan wax dhigtaa, saacadaha kalena dhul xaadh iyo adeeg ayaan ku shaqeeyaa. Hooyaday iyo ilmaadeeraday kolba waxaan biirin karo ayaan ugu diraa Kenya.

Waxaan Ilaahay ka rajaynayaa in nabadi ka dhalato dhulkayga oo aan ku noqdo, hooyaday iyo ilmaadeeradayna is helo oo hoygayagii ku noqono. Nolosha qaxootigu waa mid aad u adag oo quudhsi ah. Saddex sano iyo badh ayaan wadankan deganaa welina dibeda ugama bixin. Waxaa argagax igu riday markii aan ogaaday in wadamo badani irida ka xidheen qaxootiga.

Sanadkii ina dhaafay waxaan rabay in aan tago Kenya si aan u soo eego hooyaday iyo ilmaadeeraday, waxaase i xanibay iyada oo la ii diiday fiiso. Sanadkan waxaan rabay in aan tago Sudan oo kula kulmo hooyaday. Nasiib darose, dayuuradii Sudan ayaa diiday inay i qaado, bacdamaaba aan Soomaali ahay.

Waxaan dareemaa in aan ahay ruux ayaan daran oo aduunyo aan tii loogu tala galay ahayn ku dul wareegaya. Hadana waan rumaysnahay in waqtigu is bedeli doono oo ay mar ii soo mari doonto.

Afarta dumar ah tii ugu dambaysay ayaa hadashay. Magacaygu waa Faadumo Cali waxaanan ku dhashay magaalada Dar Es Salaam, Tanzania. Markii aan ahaa sagaal iyo toban jir ayaa la ii diray dhulka la yidhaahdo Hawd ama miyiga Ogaadeeniya. Sababta la ii dirayna waxay ahayd in la ii guuriyo nin aanu isku reer nahay. Afka Soomaaliga maan aqoonin waqtigaa, nolosha reer miyigana hore uma arag. Inkasta oo aan Muslinimada aqoon fiican ka haystay, aad ayay iigu adkaatay noloshii reer miyigu.Sababtuna waxay ahayd caadooyinka ay ku dhaqmaan oo aad uga fog Islaamnimada.

Dumarka reer miyigu aad ayay u adadag yihiin, hawsha badankeedana iyaga ayaa qabta. Haddii ay tahay dhismaha Aqalka, suradiisa iyo qorshihiisa oo dhanba dumar ayaa leh.Xoolaha habayntooda, ilaalintooda, lisidooda, caanaha lulistooda, dhaanka, cuntada karinteeda iyo daryeelka caruurtaba dumarka ayaa qabta. Ragu geela ayay xer-geeyaan, marmarna way safraan.

Aqalka dhismihiisu waa shaqo adag hawsheeduna dabo dheer tahay. Aqalka qalqaaladiisu waxay bilaabantaa marka ay gabadha loo dhisi doonaa raad qaado. Aqalku wuxuu leeyahay caadooyin iyo saaciidooyin doqoni ma garatay ah.

Aniga hooyaday imay barin sida aqalka loo dhiso. Maad ayaa la iga dhigtay markii aan garan waayay meel aan kaga hagaago aqalkaygii.

Dadka reer miyigu waa dad isla weyn oo isu haysta inay yihiin dadka aduunka ugu quruxda badan, ugu dhaladsan, ugu wax garad badan, ugu geesisan. Iyaga oo ah dad aftahamo ah awgeed gabay ayay wax walba ku sharaxaan (haddii ay tahay jacayl, dacaayad, dareen). Sheekadoodu waa mid mar walba ku saabsan qab, nin, dagaal iyo geel. Waxaa ka dhaadhacsan in haweenka loo abuuray inay raga u shaqeeyaan. Marka ay gabadh yari dhalato waxaa lagu soo dhoweeyaa xeedhyo iyo qaydad, marka wiil dhashana waxaa lagu soo dhoweeyaa seefo iyo qoryo.

Faadumo markii ay halkaa sheekadii marinayso ayay joojisay. Haweenkii dhamaantood jidhku wuu dubaaxshoo, qiiraa tin iyo cidhib ku dhamaatay dumarkii. Hawadu way cuslaatoo ciriq baa ku ladhanoo, cirkana madowgi sii korodh. Jawigu waa caways wacag iyo kalgacal dumar wadaagaa, marna waa cadhiyo ciil, is ciil kaambi weeyaan.

Gudcurkii madowgaa gabadhi ay is taagtoo gidigood haweenkii gaadhsiisay weedh mudan. Iyadoo aan hore u garan, goobteedii fadhida bay geeska Africa oo idil geesiyadii u waynayd Hawa Tako gocatay sheekadeedii. Gabadhu hadalka ay tidhi haweenki way u guuxeen.

Idin maan majeerane ma Xaawa Taakaa ilowdeen ayay ku tidhi cod qiiro ka buuxdo. Geesiyadii Xaawa Taako waxay nafteedii u hurtay gobonimo doon iyo gumaysi nacayb. Waxaa lagu dilay dagaal ay la gashay gumaystihii Talyaaniga ee xukumayay gobolada koonfur ee dalka Soomaalida. Xaawa Taako waxay ku dhalatay magaalo madaxda dalka Soomaaliya Xamar, qarnigan aynu ku jiro horaantiisii. 1950nadii ayaa Xaawo Taako lagu dilay dagaal ay la gashay gumaystihii Talyaaniga. Iyada oo dhabarka ku xambaarsan ilmaheedii qorigeediina ku jeeni qaaran ayay u jilib dhigtay askartii isticmaarka markii ay is hor taageen mudaharaadyo xornimo doon ah oo ay hogaaminaysay. Sida aad u wada og tihiinba markii ay gobonimadu dhalatay Taalo lagu xasuusto Xaawa Taako ayaa loo dhisay. Taas oo ka taagan badhtamaha magaalada Xamar.

Gabadh timo tidcan ayaa durduro ku dhaaftay haweenkii oo inta ay golohii is taagtay tidhi 'maaweelada dhankaygiyo midhaheeda iga gura'. Iyada oo dhoosha ka qoslaysa. Haweenki qiiradii way ka soo yara degeen, markay inanti hadashay.

Waxaan caawa halkan idiinku hayaa sheekadii Arawelo. Waa sheeko boqolaal sano jirtay kuna saabsan haweenay dumarnimada rumaysnayd, quudhsiga ragu dumarka quudhsadaana ka soo hor jeeday.

Arawelo waxay ku noolaan jirtay Waqooyiga Soomaaliya, miyiga iyo magaaladaba. Waxay ahayd haweenay isku kalsoon, aqoon garad ah aadna u adadag. Cadaadis badan ayay kala kulantay raga, taasoo ku keliftay inay ka soo hor jeesato oo dagaal la gasho. Dadka qaarkii waxay yidhaahdaan si naxariis daro ah ayay ula dhaqantay raga. Waxayse u adkaysan wayday dabeecadahooda diciifka ah ee ay dumarka kula dhaqmaan. Sidii ay ula dhaqmayeen si la mid ah ayuunbay ula dhaqantay.

Arawelo waxay ahayd haweenay ilbaxa aadna u aqoon dheer. Mararka qaarkood waxay isku dayi jirtay inay waanwaani ka dhex dhalato iyada iyo raga si aanay u waayin awoodeeda, xukunkeeda iyo sharafteeda.

Waxaa xukunkeedu gaadhay gobolo badan oo wadanka ka mid ah. Markii ay xal u wayday uduntii dhex taalay iyada iyo raga ee ay diideen inay maamulka la qaybsato awood ayay isticmaashay.

Waxay ku kaliftay inay dagaal la gasho ragii. Waxay habaysay ciidan dumar ah, dabadeedna weerartay ragii rumaysan waayay oo qaar badan ka dishay. Ragii way ka baqdeen, waxaanay yeeleen xukunkeedii. Laakiin mar walba colaad xun ayaa dhex taalay iyada iyo raga. Ragu mar walba way ka soo hor jeedeen amarkeeda. Taasoo ku keliftay inay soo dejiso sharci dhigaya in wiilkii dhashaba la dilo marka uu dhasho ama hooyadii la guurto.

Arawelo waxaa qabay nin la yidhaahdo Oday Biiqay waxaanay wax caruur ah lahayd gabadh. Maalintii dambe ayaa gabadheedii wiil dhashay.

Arawelo la talisadeedii ayaa ku tidhi 'Dumarka kaleba wiilashooda waynu dilaaye waa inaynu dilo ka ay inantaadu dashayna.' Inantii Arawelo dhashay inankeedii ayay la qaxday.

Arawelo haweenkii ayaa ka soo hor jeestay, inanteediina ku daroo. Sheekadu waxay odhanaysaa Arawelo waxaa dilay inankii ay inanteedu dhashay, laakiin waxaan rumaysnahay in ay dileen haweenkii la dhanka ahaa. Sababta oo ah way hororowday, taas ayaana burburisay dadnimadeedii iyo darajadii ay heshay.

Sheekadani waxay ina xasuusinaysaa sida ruuxa wacani u bahaloobi karo hadii uu ka talaabo xadka wanaaga.

Gabadhii iyada oo cidhibsanaysa ayay goobtii ay ka soo kacday dib ugu laabatay, haweenkiina ku dhaaftay siday sheekadeedii u xafidi lahaayeen.

Haweenkii cabaar bay hareeraha dhugteenoo, quruxdii dhulkoodiyo, dhaleeceen xidigahoo ku dhaygageen daruuraha, dayuxu uu dhexmarayiyo, dhalaalkii badweyntiyo, qooriga dhankiisii.

Mariam baa dabeetana muraadkeedi sheegtoo iyana marisay sheekadeedii. Dhalaankii ay wadataynа dhinaceeday is taageen.

Markii aan imi magaaladan Sheffield 1989kii, waxaan watay labadan caruur ah ee i dhinac taagan. Maan garan jirin wax ala waxa ay dadku leeyihiin. Wax kasta oo aan is idhaahdo qabo way igu adkayd. Dad Soomaali ah oo badani may deganayn goboladan Yorkshire. Dhibaato badan ayaa naga hor timi.

Marka aad haysato caruur yar-yar, afka Ingiriisigana aanad ku hadli karaynin nolosha ayaa kaa hor imanaysa. Marmar waxaa jirta ay caruurtu xanuunsadaan oo hargab ku dhaco aanad garanaynina wax aad ku tidhaahdo dhakhtarka ama cidba wax u sheegan karaynin.

Maalin maalmaha ka mid ah ayaa inantayda Yasmin hargab ku dhacay' xumadina qabatay. Inta aan maryo badan ku duuduubay si aan dhaxani u qaban ayaan geeyay dhakhtarka. Markii aan dhakhtaradii u galay ee gabadhii yarayd maryihii ka bixiyay ayay igu tidhi 'Waa maxay waxani? Miyaad dilaysaa?'

Dhibaato badan ayaanu la kulanay. Aniga iyo hablahayga oo qudha ayaanu ahayn. Dhibaatooyinka ugu waaweyn ee aanu la kulanay waxay ahaayeen af la'aan iyo cimilada. Marka aan tago dukaamada umaan sheegan karaynin waxa aan doonayo.

Markii aan dhiganayay dugsiga sare ee aan joogay Soomaaliya waxoogay Ingiriisi ah ayaan dhigtay, laakiin mar walba sida loo odhanayo ayaa igu adkayd. Waxaan galay Castle College mudo saddex bilood ah. Imikadan waxaan tagaa Loxley College laba cisho wiigii.

Waxaan ku talo jiraa in aan afka Ingiriisiga korodhsado, dabadeedna barto computarka. Taasoo ii suura gelinaysa in aan wax ku qabsado marka wadankaygii nabadi ka dhalato ee aan ku noqdo.

Sheffield wax dhibaato ah kalamaan kulmin. Waxaan ku noolaan jiray magaalo madaxda Soomaaliya.

Qof waliba wadankiisa ayuu aaminsan yahay. Way adag tahay sida aad ula qabsato meel kale, u dhex gasho dadka, u yeelato asxaab, u garato waxa ay dadku leeyihiin. Wadankani amaan ma aha. Mar kasta waxaan televisionka ka arkaa dil, fara xumayn. Uma ogoli in ay caruurtaydu dibeda u baxaan keligood. Soomaaliya caruurtu dibeda ayay ku ciyaartaa.

Iskuulka waxaan galay 1974kii. Dugsiga caruurta aad u yar-yari tagto ma lihin. Waxaan dugsiga sare dhameeyay 1984kii, dabadeedna laba sano ayaan macalinimo bartay. Intaa ka dib imtixaankii ayaan ku aflaxay. Jaamacada Lafoole ayaan galay mudo sanad ah waxaanan

qaatay fisigis iyo xisaab, kuwaas oo ahaa maadooyin adag. Inantayda wayn ayaan dhalay, dabadeedna jaamacadii waan ka baxay oo shaqo ayaan raadsaday. Iyada oo aanan weli shaqadii helin ayaa dhibaato xumi dhacday. Dhibaatadaas ayaa iga soo eriday wadankaygii.

Qaxootinimo ayaan ku soo galay Sheffield. Dagaalku wuxuu bilaabmay 1988kii, laakiin waxaanu nimi 1dii January. Markii aan Xamar ka imi dagaalku iyada kama dhicin.

Cidla ayaan dareemaa, wadankaygiina waan xasuustaa. Aniga iyo caruurtayda oo qudha ayaanu nahay. Wadankani wuu dhibaato badan yahay marka aanad cid ku caawisa oo hawsha kula qabata haysanin. Mararka qaarkood waan isku buuqaa marka aan marna iskuulka geeyo marna ka soo kexeeyo.

Waxaan rajaynayaa in ninkaygi yimaado. Sharci uu wadanka ku soo galo ayaan u helay. Waxaan sharcigaa sugayay mudo dheer oo saddex sano ku dhow.

Garaad dheer haweenoo gaabinaysaa socodkaa bedeshay gabadhii yaraydoo u mushaaxday golihii.

'Gidigiin ma wacantiin?' ayay ku tidhi cod qosol ku dheehan yahay. Haweenki madaxa ayay u ruxeen. Aan idin xasuussho Caado in badan soo jirtay oo aynu kuligeen wax ka naqaan 'Sar'.

Kuligeenba sida aynu u ognahay Sarku waa Caado. Qaarkeen waa u nolol dhan oo lagama maarmaan ah. Sarku wuxuu leeyahay qabiilooyin, waxaanu u degan yahay reero. Mama, waxaa weeye hooyada saarka, iyada ayaana ugu weyn. Saarku caawimo badan ayuu ina siiyaa. Sidaa awgeed ayaanay caadadan gu'geedu aad u weyn yahay inooga lumin ee aynu mar walba u xusaynay. Siyaalo badan oo kala duduwan ayaynu Sarka u xusnaa.

Qabiilooyinka Sarku aad ayay u badan yihiin, ilaa imikana cidi ma sheegi karto inta qabiilo ee jirta. Laakiin qoys kastaa wuxuu dooran karaa jilib ka mid ah qabiilooyinkaa, kaas oo uu si gooni ah u xuso.

Aniga iyo qoyskaygu jilibka aanu xusno waxaa u gaar ah midabka casaanka. Taasi waxay ka dhigan tahay, marka Sar aanu tumanaynaba waxaanu xidhanaa dhar cas. Sarku wuxuu iska leeyahay dahab u gaar ah. Marka aynu wax wanaagsan helaba, Sarkana wax wanaagsan ayaynu siinaa. Waa muhiim in aynu Sarka iska qabano oo siino wuxuu doonayo.

Caadadani ma aha mid shalay dhalatay, kumanaan sano ayay soo jirtay. Inkasta oo diintu ka soo hor jeedo caadooyinka, hadana Sarku waa mid aan lagu safaadin. Sarku waa cilmi dhan.

Inaga gaar ahaan, sida aynu u wada ognahay Sarka iska qabashadiisu wax weyn ayay inoo tartaa, waa dawo, nafteenana warwarka iyo walaaca ayay ka yaraysaa.

Haddii aynu nahay haweenka Africa aad ayaynu u tacabnaa. Hawsha waxaa inoo dheer war-warka kale iyo dan yari. Culays aada oo aynaan dareemin ayaa had iyo jeer ina saaran. Sarka tumashadiisu waxay ina siisaa yididiilo, juuca iyo niyad xumadana way inaga kaxaysaa. Waa sanco dhan oo aynu dhaxal u helay, waana inaynu ku fara adaygno.

Sarku aad ayuu u kharash badan yahay. Waa in loo iibiyo dhar badan oo kala duduwan, dahab iyo naxaas. Waa in aad loo sharaxo aqalka oo gogol iyo sharaxaad qurux badan lagu xidho. Nimanku had iyo jeer way ka cawdaan kharashka Sarka ku baxa, waxaana intooda badan ka dhaadhacsan in ay dumarku Sarka u tuntaan si ay dahab iyo dhar uun u korodhsadaan. Waxaa cad inay ka masuugsan yihiin wixii dumarku leeyihiinba.

Haddii aan Sarka la siinin wixii ay doonayaan way inaga soo hor jeesan karaan. Sarku wuxuu iska leeyahay cunto iyo sharaab, kuwaas oo loogu tala galo haweenka la marti qaaday. Bunka la'aantii Sarku ma soo dego. Beeyada waa in la shido marka Sarka la xusayo, iyada ayaa Sarka fariinta u geysa.

Sarka qof waliba ma qabto, waxaa qabata keliya haweenay af taqaan. Macalimada ayaa dejisa qorshihiisa oo dhan. Iyada ayaa garaacda durbaanka. Aniga ayayday waxay ahayd macalimad tilmaaman, laakiin sideedii iyo si u dhow toona umaan fahmin Sarka. Xaflada Sarku waxay socotaa todoba cisho. Todobada cishaba waa la ciyaaraa, ciyaartaas oo lagaga ciyaarsiiyo garbaha, madaxa iyo miskaha. Ciyaarta ayaa jidhka kala furfurta. Sarka imaatinkiisa waxaa lagu gartaa jibada iyo dadka oo daata. Marka qofku jiboodo ee dhaco, Sarkii ayaa ka soo degay. Wuxuu qofki soo toosayaa isaga oo qof kale ah, culayskii saarnaa, xanuunkii iyo war-warkiina ka maydhmeen. Qofka marka saddex goor Sar laga tumo waxaa la siiyaa 'Duub'. Qofku marka uu duubka qaato wuu qaban karaa Sarka.

Mararka qaarkood waxaa dhacda in Sarku qofkii loo tumayay aanu ka soo degin ee uu qof kale oo dadka xaflada yimi ka mid ah ka soo dego. Taasi waxay ku xidhan tahay kalsoonidaada. Haddii aanad Sarka rumaysnayn lagama yaabo inuu kaa soo dego.

> Goor ay waa dhowaad tahay, sagalku dhibicda soo dhigay ayaa Asha Mohammed sheekada dhankeediyo u hilowday hadalkii. Haybad baa Eebe siiyoo maansada way ku hadashaa, maahmaah da' weynbay hordhacii ka dhigatay. 'Aabahay baa geel lahaan jiray, anaa dameer leh ayaa dhaanta'.

Aad ayaan uga xumaadaa marka ay dadka reer Yurub i weydiiyaan su'aalo diciif ah sida, hore miyaad aqal ugu noolaan jirtay, weligaa nolol aan tan Ingiriiska ahayn ma noolaatay.

Waxaan ku dhashay tuulo la yidhaahdo Raybad Khaatumo oo ku taala hawdka, waqooyiga dalka Soomaaliyeed.

Waxaan magaalada u tacabiray markii aan ahaa sideed iyo toban jir aniga oo muraadkaygu ahaa inaan nolosha magaalada arko. Waxaa igu jirtay hawo baayacmushtar, taasoo aan rabay in aan keligay samaysto, iyada oo aan aabo iyo walaal toona iga caawinin. Waxaan tegay magaalo la yidhaahdo Berbera oo ku taala xeebta waqooyi galbeed ee dalka Soomaaliya. Baayacmushtarka aan rabay wuxuu ahaa xoolaha la dhoofiyo, kuwaas oo la gayn jiray magaalada Cadan. Baayacmushtarkaasi wuxuu ahaa mid ragu isu qorsheeyeen iskuna balaadhiyeen.

Dhibaato badan ayaa iga gaadhay baayacmushtarka, taasoo aan iigu dhacaynin reer hawdnimo ee iigu dhacaysay haween cadaadis iyo raga oo aan dumarka waxba u ogolayn. 1955kii ayaan tegay magaalada Berbera aniga oo wata xayn adhi ah oo aan rabay in aan Cadan u iib geeyo. Markab la yidhaa Abu Bis oo dekada taagan ayaan damcay in aan xayntii adhiga ahayd ku rarto. Markii aan muraadkaygii u sheegay kaariyadii markabka kiraynayay oo kuligood ahaa rag, qosol ayay iigu dhaceen. Waxaanay iigu jawaabeen "waa lama arag iyo lama maqal qof dumar ah oo xoolo dhoofisaaye, anaga naga iibi xaynta aad wadato.

Way ila noqon weyday inaan xayntaydii wareejiyo, waxaanan ku adkaystay in aniga iyo xayntayduba aanu markabka raacno. Waxaan ku garamay in aan xaq u leeyahay in aan raaco markabka, bacdamaaba aan kiradayda bixinayo. Nimankii waxay damceed inay xayntaydii ku baayacaan qiimihii ay joogtay labadeed, si aan isu bedelo. Waxaanu muranaba aniga iyo kaariyadi waxay ka maaran siin weyday in ay ogolaadaan in aniga iyo xayntayduba aanu raacno markabka.

Dhibaatadii markabka iga gaadhay waxaa igaga daraydd tii aan kala kulmay suuqii xoolaha lagu kala iibsanayay ee Cadmeed. Xayntaydii gooni ayaa loo soocay, anigana waxaa la iigu hanjabay inaan ka baxo suuqii. Markii aan u adkaysan waayay dulmigii iyo handadaadii ayaan baryay nin ka mid ah ragii meesha joogay in uu xayntaydii masuul ka noqdo.

Xayntaydii qiimo aan u dhowayn kii ay joogtay ayaa lagu iibiyay, waanan ku khasaaray. Ha yeeshee marnaba maan niyad jabin. Aqoon iyo adadayg ayaa iigu kordhay safarkaas. Suuqii dharka ee Cadmeed ayaan galay oo ka iibsaday dhar iyo cadaro. Maalintii dambe markabkii oo Berbera u amba baxaya ayaan raacay. Hargeysa ayaan dukaan ka furtay, kaas oo aan ku iibin jiray dharka dumarka, cadaro, dahab, iyo dhar caruureed.

Haweenka ku nool Africada Bari aad ayay u jecel yihiin dahabka iyo macdanta la tumo. Baayacmushtarki wuu ii balaadhay, Cadana waan ku noq-noqday. Nasiib darose, faraha ayaan ka qaaday baayacmushtarkii xoolaha nool dhoofinta (kaasoo ahaa ka ugu macaashka badan) markii aan u adkaysan waayay dulmigii ragu samaynayeen.

Baayacmushtarka cadarka, dharka iyo dahabku wuu ka duwanaa kii xoolo dhoofinta. Inta badan waxaanu wax kala iibsanaynay dumar aanu si fiican isu fahmaynay. Baayacmushtarki wuu ii balaadhay waxaanan gaadhay heer aan soo dejiyo alaabo badan oo kala duduwan.

Wax haba yaraatee khibrad ah umaan lahayn baayacmushtarka. Laakiin naftayda ayaan ku kalsoonaa. Waxaan ku dhashay miyi, weligayna iskuul ma gelin. Miyiga aan ku dhashay hablaha cilmi lama baro, inamadana Quraanka iyo diinta ayaa loo dhigaa. Hooyaday waxay agoonimo ku korisay shan hablood iyo wiil ay dhashay iyo afar kale oo caruur ah oo eheladeeda ah. Caruurnimadaydii cilmiga qudha ee aan dhigtay wuxuu ahaa kii ay hooyaday i bartay. Quruunta aan ka dhashay hablaha ma jecla. Hooyaday waxay dhashay hablo badan, waxaana soo maray cadaadis badan. Markii aabahay dhintay ee aanu agoomownay, adeerkay ayaa anaga iyo xoolahayagiiba na dhaxlay. Dhibaatadii hooyaday soo martay waxay ii noqotay tiir adag,

waxaanay i siisay adadayg. Adayga hooyaday ayaan ka dhaxlay, Ilaahayna aqoon ayuu i siiyay.

Khibradayada baayacmushtarku way ka duwan tahay ta reer Yurub. Maal gelin habaysan ma lihin. Markii aan baayacmushtarka bilaabay baanan may jirin. Habeenkii ayaan lacagtayda tirin jiray, waxaanan ku cabayn jiray jawaano. Lacago badan ayaa iga khasaaray, taasoo dadkii iga amaahday igala kaceen. Laakiin mar walba xisaabtaydu way is buuxinaysay oo macaashka aan sameeyo ayaa soo celinayay khasaaraha. Aqoontayda baayacmushtarku marba marka ka dambaysa ayay kordhaysay. Waxaan bartay xiliyada safarku wacan yahay iyo kolba wixii dadku jecel yahay ee baxaya. Mar ay dooniyi degtay maal badan ayaa iga dhacmay.

Aad ayaan u han weynaa, waxaanan rabay in aan lacag yeesho, aqalo dhisto, reerkayagana masruufo. Aabahay aniga oo yar ayuu dhintay. Hooyaday wiil qudha ayay dhashay, kaasoo rumaysnaa in wixii aan shaqaysto isagu leeyahay, weligiina aan ku mahad niqin wixii aan siiyo. Waxaa walaalkay ka dhaadhacsanayd in aan isaga u shaqeeyo.

Raaska hooyaday ka dhalatay siyaakhlayaal ayay ahaayeen. Inkastoo aabahay reer miyi ahaa, hooyaday reerkoodu magaalada ayay deganaayeen, baayacmushtarkana way ku dabo lahaayeen. Waxaan had iyo jeer ku fekeri jiray in aan nolosha miyiga ka baxo, taasoo ahayd mid dumarka horumarka kala xarbida. Waxaan madaxa ku haystay sheekooyin magaalooyin la yidhaa Berbera iyo Cadan, dad bad mareeno ah oo doonyo ugu tacabiray dhul fog.

Waxaan ku riyoon jiray aniga oo bada dooni kaga talaabay. Waxaan rabay in aan soo arko nolosha bada dhinaceeda kale taala.

Laga bilaabo 1955 ilaa iyo maalintii Hargeysa dagaalku ka dhacay 1988kii baayacmushtar ayaan ahaa. Waxaan u socdaalay wadamo badan oo Africada Bari ah, wadamada Carabta iyo Hindiya. Waxaan lahaa booyada, guryo iyo dhul.

Intii aanan baayacmushtarka bilaabin hamo reer way igu jirtay, laakiin markii aan baayacmushtarka dhex galay waan ilaabay. Intii aan shaqaysanayay xaq darooyin badan ayaa i gaadhay, kuwaas oo ay igu sameeyeen dawladihii ka talinayay wadamadii aan deganaa. Dawladii Soomaalida ee dhacday iyo tii xabashiduba way i cadibeen. Sharci daro ayay dawladii Soomaalidu igu xidhay. Waxaan ku dhashay dhulka Soomaaliyeed ee xabashidu xukunto.1975kii markii ay dhacday abaartii daba dheer waxaan tegay hawdka Ogaadeeniya si aan dadkii jilicsanaa ee abaartu ku dhacday u caawiyo. Waxaan baraago ka qotay hawd cidla ah oo la yidhaa Ceel Baxay. Waxaan ahaa qofkii ugu horeeyay ee meeshaa dega, tuulana ka dhiga. Waxaan rabay inaan ceel shiidaal ka samaysto si aan saliida uga iibiyo baabuurtii raashinka siday ee caro Ogaadeen u shixnanayd.

Markii aan ku soo noqday Hargeysa waxaa i xidhay dawladii Soomaalida. Liisankii aan ku shaqaysanayay iyo baasaaboorkii aan ku dhoofayayna way iga qaadeen. Mudo saddex bilood ah ayaan xaq daro ku xidhnaa, iyagoo marmarsiiyo ka dhigtay inaan ahay basaas, bacdamaaba aan tegay dhulka xabashidu xukunto. Markii ay i sii daayeen waxay igu amreen in aanan dalka ka bixin. Intii aan jeelka ku jiray walaalkay wuxuu tagay tuuladii aan dhisay oo uu dhaxlay xoolahaygii. Aqoonta raga reer miyigu waa sidaa. Waxaa ka dhaadhacsan in dumarka loo abuuray in ay raga u shaqeeyaan.

Xoolo badan ayaa iga dhacmay manaan shaqaysanin mudo todoba sanadood ah. Mudadaas iyada ah tabaruc ayaan ku shaqayn jiray oo dadka ayaan caawin jiray. 1982kii ayaa baasaaboorkii iyo liisankiiba la i siiyay. Sanadkii xigayna baayacmushtarkii ayaan dib u bilaabay. 1988kii aniga oo ka soo noqday safar aan Sucuudiga u safray ayuu dhacay dagaalkii waqooyigu. Guryahaygii mid ka mid ah ayaanu aniga iyo hooyaday iskaga jiray, markii gurigii madfac ku dhacayna kolba meel ayaanu jirsanaynay mudo saddex sanadood ah. Anigoo arkaaya ayaa xoolahaygii la boobay.

Imika markii aan qof weyn noqday, xoolahaygii oo dhamina iga dhacmeen waxyaalo badan ayaan isku qoomameeyay.

Waxaan Ingiriiska imi 1993kii waxaanan ku noolahay aqal yar oo dawladu iigu tabarucday oo ku yaala xaafad la yidhaa Broomhall oo ka mid ah xaafadaha magaalada Sheffield. Cidi ima taqaan waxaan galo iyo waxaan gudo.

Habeenkii xusuustee haweenku gaar u yeesheen, hawo, laydh macaan iyo haleelaa dhacaysa. Hirdankii badweyntiyo huush-huush baad maqlaysaa. Ururkaa haweenkiyo, halxidhaalahoodiyo, kulankooda hiilka leh, haweenaydii asaastaa iyadoo haybad mudanoo u han weyn karaankeed, dhex mushaaxday dumarkii.

"**W**axaa mar walba madaxayga ku jirtay inay ii suura gasho in aan ka hadlo xaaladayda iyo ta haweenka aanu isku waayaha nahay,' ayay ka bilowday hadalkii. Waaya arag ayaanu nahay, sheekooyinka aanu haynaana aad ayay u badan yihiin. Aqoontayada iyo af-tahamadayadu ma yara, waxaanan rajaynayaa in shekooyinka iyo gabayada ay qoreen haweenka Africada Bari ay noqdaan qaar loo han weynaado.

In mudo ahba waxaa aduunyadii ku baahay oo wargeysyada reer galbeedku sidaan warar dhiilo badan oo aad ugu tiiq-tiiqsanaya dhibaatada Africa ka taagan. Dagaal sokeeye, caruur calooshu barartay iyo qaxooti kolba meel isu daba qaxaya ayaa Africa warkeedi noqday. Haween u dhashay Africada Bari ayaa jecel inay sheekadaa dhinac kale uga wareegaan oo iyaguna soo bandhigaan aqoontoodii Africa.

Waxaan ka dhashay qabiil reer miyi ah iyo qoys muslin ah. Waxaan ku dhashay, ku koray waxna ku bartay Africa. Waxaan Yurub soo galay sideetanada dhexdoodii, iyadoo muraadkaygu ahaa aqoon korodhsi. Ha yeeshee kalgacalka dunida galbeed wuxuu madaxa iga galay markii aan dugsiga dhiganayay. Ma ahayn mid aniga keligay ii gaar ah riyada Maraykanku ee waa mid ay ila qabeen dhalinta reer Africa badankoodu. Waxaanu xidhan jiray garamo ay ku taalo USA, the Big Apple, New York, Michael Jackson, iwm. Waxaa maskaxdii naga xaday oo aanu run moodnay filimada khayaaliga ah ee Maraykanku sameeyo. Waxaanu iska doon-doonay matalayaasha reer Hollywood.

Waxaan xasuustaa maadays aan akhriyay markii aan dugsiga dhiganayay oo ku saabsan qoys Africaan ah. Inkasta oo farshaxanku ka gaabsaday dacaayad toos ah, hadana waxa maadaysku si fiican u taabanayay nolosha iska doon-doonka ah ee qoyska dambe ee Africaanka ah. Qoyskaas oo ah mid aabuhu yahay dibutee maskaxdu ka maqan tahay oo jeebka ku shubta maaliyada umada, hooyaduna ku nooshahay nolol khayaali ah. Reerki iyaga oo fadhiya qolkii cuntada oo ah mid kharash badan lagu burburiyay sharaxaadiisa ayay hooyadi hadashay oo ka cabatay cunto yaraanta Africa ka taagan iyo sida lacagtii badnayd ee ay haysatay ugu jari wayday raashin isu dheeli tiran. Aabihii ayaa hadalkii ka boobay oo ku yidhi 'Alaa, miskiinsanaa xaawalaydaydu. Ma waxaad ka cabanaysaa cunto yaraan. Miyaanad ogayn in ay suxufiyiinta reer Galbeedku ku talo jiraan sidii ay inoogu rari lahaayeen duniyaha kale sanadka 2000, si ay u tijaabiyaan in bini aadmigu ku noolaan karo iyo in kale.

Walaalkayga curad oo waqtigaa wax ka baranayay magaalada New York ayaa ii soo diri jiray jaldiyo ay ku sawiran yihiin daaro dhaadheer, suuqyo balbalaadhan iyo dariiqyo mashquul ah. Waxaa kale oo uu ii sheegay sheekooyin uu xarakeeyay oo ah aqalo daruuraha ku libidhsan, robotyo subaxii quraacda kuu toosiya iyo biro kuu soo tuuraya baasto kulul iyo xataa cuntada reer miyiga ta ugu macaan, muqumad iyo maxawash.

Waa laba aad u kala fog nolosha dhabta ah ee taala Galbeedka iyo ta ay madaxa ku haystaan dhalinyarada reer Africa ee qalbigoodi raacay

filimada Maraykanku metelo. Mararka qaarkood waxaan darxumada Africa ka taagan eedeeda saara dhalinta reer Africa. Haddii aanaan ku gacan saydhin dhulkayagii hooyo, xaalada Africa sida ay hada tahay way ka duwanaan lahayd.

Sagaal sanadood ka dib, ayaan ku noqday magaaladii aan ku koray Hargeysa. Xusuusteeda Hargeysi waa mid i damaqda oo aanan weligay ilaaweynin, igalana weyn magaaladaan ku dhashay.

Markii aan inanta yar ahaa, Hargeysi waxay ahayd magaalo nabadeed. Waxaan ku noolaa xaafad ay ku nool yihiin dad tiradooda kor u dhaaftay kun qof, kuwaas oo kuligood ahaa qaraabo iyo xasabo. Qof kasta oo xaafada degani wuxuu iigu toosnaa adeer, edo, inaadeer iyo inaadeer inaadeerkii.

Xusuusaha Hargeysi igu reebtay waxaa kuwa ugu dhaadheer ka mid ah ardaynimadaydii. Waan xasuustaa maalintii ugu horeysay ee aan dugi u kicitimo. Waxaan Malcaamada u daba galay walaashay. Adeer Mohamood malcaamadiisu ilaa boqol talaabo ayay gurigayaga u jirtay. Adeer Mohamood wuxuu ahaa macalin ay dadka xaafada degani u han weyn yihiin aadna loo ixtiraamo. Malcaamada caruurta xaafada oo dhan ayaa tegi jiray, adeer Mahamood oo qudha ayaa ka macalin ahaa. Sidayda oo kale caruurta badankoodu waxay daba galeen, walaalahood iyo ilmaadeeradood.

Markii aan toosay subaxaa, aniga ayaa lebistay. Inkasta oo kurdadaydu maqluub ahayd, kabaha aan kala jeed u gashaday, timahayguna raamo ahaayeen. Malcaamada macalin Mohamood dharka ilmuhu xidhan yahay iyo sida uu u lebisan yahay lama xaalayn jirin.

Mararka qaarkood kabo la'aan ayaan ku tegi jiray malcaamada. Markii aan malcaamada tagay waxaan dhinac fadhiistay walaashay, waxaanu ku fadhiisanay mijilis dheer oo loox ah. Caruurta malcaamada aan ugu tagay waxay ahaayeen kuwii igula noolaa xaafada, kuligoodna waan garanayay. Waxaa adeer Mohamood i siiyay loox labaday dherer leeg. Cabaar yar dabadeedna waxaan ku biiray caruur samaynaysa khad. Khadka samayntiisa aad ayaan uga helay. Waxaanu soo ururinay dhuxul, taasoo aanu ku dhex ridnay biyo qabow, dabadeedna ku xaquuqnay dhagax midxin oo kale ah, anagoo kolba ku darayna waxoogay sonkor ah iyo biyo. Markii aanu samaynay khadkii quraarad ayaanu ku shubnay. Subaxii dambe khadkii oo diyaar ii ah ayaa la' ii bilaabay casharkii ugu horeeyay.

Waxaa yaab leh dhakhsaha iyo hawl yaraanta isbedelku u dhaco. Markii aan ku noqday wadankaygii argagax ayaa igu dhacay. Waan rumaysan kari waayay dhibaatada heshay magaaladaydii iyo dadkeedii. Ma tilmaami karo dareenkayga waqtigaa isaga ah markii aan run u arkay sida ay magaaladaydi isu bedeshay. Waxaan isku dayay in aan raadsho asxaabtaydii aanu iskuulka wada dhigan jiray Goor aan daalay oo aan baadi doonkaygii najiido ka gaadhi waayay ayaan helay, Fatima Mohamed Hassan, oo iyada qudheedu socoto ahayd, kana soo noqotay dalka Saudi Arabia.

Su'aalaha dadku i weydiinayeen waxaa ka mid ahaa 'Yaad daydayaysaa?' 'Waa goorma mudada aad ka hadlaysaa?' Jawaabta ugu dambaysay ee ay i siiyaana waxay ahayd. 'Weligayo maanaan maqlin qof magaca aad sheegayso la yidhaa.'

Waxaan is mooday in aan beri hore dhintay oo ka soo baxay xabaashii. Magaaladaydii aan jeclaa waxay ku dambaysay dhul qalaad.

Haweenay aad u dheeroo, soddonkii ku dhowdhow ayaa goor ay waa dhowaad tahay haweenkii dhamaantoon taariikh da' weyn iyo u dhigtay casharo dhaadheer. Ilamaa ayeeyiyo, ka ayey, ayey iyo inanteeda, inanteed aqoontaan lahayn iyo, adadaygeena guud iyo, dhaqan aad u qaniya aan idiin tilmaamee taariikhda dib u eeg. Boqornimadii ayaydeen 'Boqoradii Sheba' idilkeen waan u qalanaa.

Sheba waxay ahayd Boqorad Abassiiniyad ah, waxaana xukunkeedu gaadhay Africada Bari oo dhan iyo Koonfurta Carabta. Sida ay taariikhda Africada Bari dhigayso Sheba waxay ahayd Boqoradii ugu taliska mudnayd ilaa iyo hada. Waxay mudnaatay ixtiraam iyo sharaf dheeraad ah. Haddii aynu is barbar dhigno waqtigeedii iyo waqtigan xaadirka ah oo taliyayaasha Africa niman u badan yihiin, nimankaas oo awoodoodi noqotay hunguri, macangagnimo aanay cid kale taliska u ogolayn iyo awood sheegasho, aad ayay uga duwanayd. Waxay ahayd gar yaqaanad aqoon dheer.

Sheba waxay ahayd geesiyad. Markii ay kulmeen Solomon si citiraaf leh ayay diintii uu ula yimi u qadarisay. Dadnimadeeda iyo iyada oo mar walba rumaysnayd citiraafka, ayay ku gaadhay horumarka.

Isla markii ay noqotay jewish, awoodeedii hoos ayay u dhacday. Taas oo ay keentay, diintii ay qaadatay oo dhigaysay sharciyo iyo qaynuuno. Kuwaas oo aanay ka talaabsan karaynin.

Taariikhdii Faraaciyiinta dumarka had iyo jeer waxay masuuliyadahoodu ahaayeen qaar dabacsan sida; Ilaahadii naxariista, Ilaahadii kalgacalka. Ragase waxay masuuliyadahoodu ahaayeen qaar qalafsan sida; Ilaahii Burburinta iyo kii Ciqaabta.

Haweenka Africada Bari had iyo jeer waxay nolosha ku eegaan indho iyo qalbi furan, taas oo ah mid dhaqankeenu ina farayo. Dhaqanka reer Galbeedka lama hubo inta ay garashadeedu gaadhsiisnayd Boqoradii Victoria.

Taariikhdeena marka la eego mar walba haweenku door weyn ayay ka ciyaarayeen nolosha, taliska iyo horumarka. Waqtigan xaadirka ah ee xaaladu xuntahay, dumarku waa kuwa qudha ee isku taxalujinaya inay nolosha dadka dib u dhisaan, waana kuwa qudha ee ka shaqeeya sidii ay nabadi u dhalan lahayd.

Haweenka Africada Bari waxay qabtaan shaqooyin badan. Iyaga ayaa shiriya nabadoonada, tusana burburka. Waxay sameeyaan heeso

ka hadlaya, muujinayana heerka burburka iyo dhibaatada wadanka ka taagani marayso. Waxay ka hadlaan dagaalka sokeeye, waxaanay soo bandhigaan axmaqnimada ragu samaynayaan si ay u khasaysiiyaan.

Waxay ahayd inaad nagu aragtaan xerooyinka qaxootiga. Anaga ayaa dawayna dhaawaca, dugsiyo u dhisna caruurta, daryeelana reerahayaga. Xataa waqtiyada ay noloshayadu ugu meeqaanka liidato niyadayadu ma xuma. Waanu baranay in aanay jirin wax ka xun caydh u bax. Waanu ognahay sida hawsha yar ee ay u dhici karto.

Qaar naga mid ahi waxay ahaayeen taajiriin intii aanu dagaalku dhicin. Imika oo aanu qaxooti nahay fara madhnaan ayaanu uga baxnay wixii aanu haysanay. Waxaa intaa noo dheer nacayb iyo cadaalad daro aanu la kulmaynay mar walba meel kasta oo aanu tagno. Waxaa na gaadhay colaad xun iyo fara xumayn ay noo gaysteen askar cadow ahi, kuwaas oo noogu dhacayay aar goosasho iyo dhoola tus. Ha yeeshee weli muraadkayagu waa danta iyo daryeelka qof kasta oo naga mid ah. Waxaanu asaasnay mashaariic iyo xisbiyo, si aanu wax uga qabano dhibaatada haysata dadkayaga iyo dalkayaga.

Xisbiyadaa waxaa ka mid ah xisbiga 'Hawd' oo u taagan Haweenka Amaanka Wadanka iyo Dadweynaha. Xisbigaa waxaa asaasay haween qaxooti ah iyo kuwo reer miyi ah. Haddii aanu nahay haweenka ku nool xeryaha qaxootiga, waxaanu wada shaqaynaa haweenka reer miyiga oo aanu iska caawino barnaamijyo aanu rabno in aanu noloshayada hore ugu marino.

Iyada oo aanaan helin wax caawimo ah haba yaraatee ayaanu isticmaalaa farsamada aanu maqaano, taas oo ah farshaxanimo. Waxaanu soo ururinaa dabadeedna ban dhignaa waxyaalaha aanu gacantayada ku samayno. Waxaa kale oo aanu tirinaa gabayo aanu kaga hadlayno xaaladayada. Gabayadaas oo aanu ku falanqayno dhibaatooyinka na gaadha iyada oo aanaan magac dhabin qofna.

Waxaanu jecelahay in aanu idinla wadaagno gabay ka mid ah gabayadayada, gabay ay afar dumar ahi shir la qaateen Hooyadeen Xaawa. Afar dumar ah oo kalena u jiibinayaan.

Afar dumar ahi way wada istaageen, mid kalena gooni ayay isu taagtay. Haweenayda goonida isu taagtay waxay metelaysaa Xaawa iyada ayaana bilowday gabayga.

Xaawa iyo Faadumo

Xaawa
Dunidaa horumar gaadhiyo
Dayaxaa la haybsaday
Rag uu hagar la'aan baxay
Xidigaha hujuumeen
Hubka ay samayst-een
Isla kiin hor taageen
Ho'heey dumar dhaliilaye
Haybsaday xogtooda eh
Maxaa horumar gaadheen
Halkee baa ku nooshiin

Faadumo
Halkii aad ogeyd iyo
Hadimadaanu dhaxaliyo
Heeryadaad na saartiyo
Hayinbaanu nahayoo
Waa nala hogaanshaa
Sowtaad na heerteed

Huqda nagu abuurteed
Rag hoos noogu celiseed
Ha hadlina na tidhiyeed
Hawlkar noogu yeedheed
Heeryada na saartay
Maxaad noo haybsanaysaa

Xaawa
Hogaanka idinku xidhan iyo
Hanfiga aad ku nooshiin
Colaadaa hortiiniyo
Hareerihiina taalaa
Amba way i haysaa
Awood baanan haynine
Horey ii seegtay taladuye
Anigaa idin heeraye
Caruurtiina hugufkiyo
Hoy la'aantu haysee
Ay hiigtay gaajadu
Xabadu ay hor taalaa
Dhib bay igu hayaanoo
Kama dhigo hurdada dhaban

Shugri
Hoygii aan lahayniyo
Caruurtaanu haynaa
Xabad lala hor joogaa
Dunidaa horumar gaadhiyo
Dayaxaa la haybsaday
Anagu waan ka hurudnaa
Horumar maanu diidine
Sowtaad na heerteed

Rag hoos noogu celiseed
Hawlkar nagu tilmaanteed
U yeedh-yeedhay hanadeed
Heesta aad u tiriseed
Hawsha aad u diideed
Hoga nagu dabooshay
Maxaad noo haybsanaysaa

Saado
Anagaa rag hananaye
Haybad ugu dadaalaye
U afsaaray xeedhyo eh
Xariir ugu hagoognaye
Halyeeyaanu moodnee
Horor bay noqdeenoo
Hungurigay ka taliyaan
Haadka adag dugaagiyo
Dhurwaagay la hoydaan
Raqda ay la hiigaan
Haweenkiyo caruurtay
Hilbahooda daaqaan
Habaar baanu guranoo
Anagaa is heeraye
Xaqayagii hagoognoo
Hablihii ka oynaye
Naftayadii hungaynoo
Beenta ugu heesnaye
U yeedh-yeedhnay hanadoo
Ku hungownay meel madhan

Khadija
Ha yeeshee dhib aragnoo
Nabsigii na hoos yimi
Rag halkuu na dhigay iyo
Cadceed baanu hurudnaa
Reer Yurub hunkoodiyo
Hambadoodaanu quudnaa
Qamidada hadhaagee
Bakhaarada ku raagtay
Ay xoolohoodu diidaan
Ayay noogu faanaan
Filimo nagaga duubtaan
Dunida ay ku fidiyaan
Horumar maanu gaadhine
Hoos baan u noqonoo
Cadceed baanu hurudnaa
Hoygayagina wuu dumay
Qaarna way hodmeenoo
Halkii loo badnaa iyo
Aakhiray u hoydeen

Kuligood haweenkii
Aan soo gaabsho hadalkee
Hooyaday macaaneey
Hadaan dumar qiyaasoon
Hoos u eegay xaalkood
Halkaasaan ku noolahay

Haweenkii dhamaantood hooyadii u weynayd ayaa higilka qaadoo, haabhaabatay hangoolkii. Hablihiina gacantiyo garabkay qabteenoo u hor galaan ardaagii.

Magacayga waxaa la yidhaahdaa Ambaro Madar Hassan. Waxaan ku dhashay magaalo la yidhaahdo Hargeysa oo ku taala Waqooyiga dalka Soomaaliya. Ma garan karo gu'gayga saxa ah, laakiin waxaan filayaa in aan ahay boqol jir.

Mudo dheer ayaan aduunyada soo taagnaa. Mar uu waqtigu ila jiray iyo mar uu iga soo hor jeedayba way i soo mareen. Nolol wacan iyo mid adag labadaba waan la darsay. Aduunyadu way cajaayib badan tahay, marka aad ku raagtana wax walba waad arkaysaa.

Hooyaday aniga oo yar ayay dhimatay, waxaana i korisay ayayday. Aabahay siyaakhle ayuu ahaa, ragii ila dhashayna siyaakhadii ayay barteen. Laakiin aniga iyo hablihii ila dhashay guriga ayaanu ayayday kala shaqayn jiray. Intii aan qaan gaadhay iyo dhalinyaranimadaydiiba reer miyi ayaan ahaa. Xoolo dhaqato ayaan ahaa. Geel, adhi iyo lo' intaba waan lahaa. Caruur aan dhalay iyo kuwo raaskayga ahna waan korinayay. Markii aan qof weyn noqday waxaan la degay gabadh aan dhalay oo magaalada taalay, noloshii miyigina waan iskaga tagay.

Maalintii iigu farxada badnayd waxay ahayd maalintii wadankaygu ka xoroobay isticmaarkii frenjiga. Waan taagnaa goobtii lagu saaray calanka bluukiga ah ee xidigta cad dhexda ku leh, kii gumaystahana lagu laalaabay 26kii June 1960kii. Heeso cajaayib badan, gabayo caan ah iyo ciyaaro qurux badan ayaa ka dhacay beerta xoriyada ee magaalada Hargeysa oo ay isugu yimaadeen kumanaan qof oo doonayay inay arkaan calanka cusub iyo xoriyada u dhalatay. Waqtigaa isaga ah waxay nala ahayd in aanu xorownay, cadaadiskii isticmaarkana ka baxnay. Waxaanu u fadhinay horumar iyo aflaxaad.

1988kii markii ay ka soo wareegtay sideed iyo labaatan sanadood maalintii xoriyada la qaatay, ayaa waxaa dhacay dagaalkii dhex maray dawladii dhacday iyo ciidamadii SNM. Dhibaatadii ugu waynayd iyo khasaarihii ugu xumaa ee aan u soo joogay ayaa dhacay. Kumanaan qof oo ay ka mid yihiin caruur, haween iyo dad jilicsan ayaa naftoodii waayay. Qaar kalena way firdhadeen oo nafta kula eerteen wadamadii jaarkooda.

Way ila noqon wayday in aan maalin qudha kabo la'aan kaga baxo magaaladii aan ku dhashay ee reerkaygu qarniyada deganaayeen. Waan iska joogay, markii aqalkii aan ku jiray madfac ku dhacayna kolba meeshii aan jirsan karo ayaan jirsaday. Caydh ayaan kaga baxay dalkaygii.

Ma jirto wax ka xun in aad dalkaaga ka guurto oo ka fogaato ehelkaagii iyo asxaabtaadii, khaasatan marka aad qof weyn tahay. Way adag tahay sida aad ula qabsato nolol ka duwan tii aad ku noolaan jirtay. Aqalka ayaan iska dhex fadhiyaa, wax aan qabtaana ma jiraan. Dadka ila jaarka ah ma arko, mana aqaan. Afka Ingiriisiga ma aqaan, waxna ma qabsado ee dadkayga ayaa wixii aan u baahnahay ii qabta. Indhahayga oo aan fiicnayn awgeed, waxba kama sheegi karo magaalada aan ku noolahay sida ay u eg tahay, dhismaheeda, wadooyinkeeda iyo suuqyadeeda. Waxaanse filayaa in ay aad uga duwan tahay magaalooyinkii aan ku noolaan jiray.

Dagaalka sokeeye ee ka dhacay dalkaygii noloshayda oo qudha wax umuu dhimin ee waxaa kale oo uu wax yeelay dadnimadaydii iyo wax garadkaygii. Waxaan u soo joogay gariirkii naxariista daraa ee ka yoomayay hubkii lagu rushaynayay dadkii masaakiinta ahaa ee hilbahooda la wadhay. Waxaan ahaan jiray qof dareen badan oo wax kasta u fiirsata, laakiin imika sidii wax u dhacaan ayuunbaan arkaa.

Waan sheeko jeclaan jiray, xantana mar-mar waan ku dari jiray, laakiin hada waan aamusay. Waxaa habeen iyo maalin i hor taala darxumada heshay dadkaygii iyo dalkaygii. Dadkii aan aqaanay badankoodi way hoydeen. Markii aan dhalinta yaraa in aan safro waan jeclaan jiray, inta badana lug baan ku safri jiray. Mudo sanad ah

ayaan magaaladan joogay, waxaanay ila tahay in aan joogay toban sanadood. Ilama aha in aan dalkaygii dib indho u saari doono. Waxaaba kedeed igu ahayd intii aan u soo socday Sheffield.

Waa suuragal in aan ahay qofka ugu da'da weyn Soomaalida degan magaaladan Sheffield, dalka Ingiriiska ama Yuruba. Waxaa cajaayib ah sida ay aduunyadu u balaadhan tahay, hadana u soo kooban tahay. Waxaan ku dhashay, weligayna deganaa wadan aad u fog. Habeen qudha ayaan is arkay anoo jooga magaalo aanan abidkayba maqal.

Habeenkii markaan seexdo waxaan ku riyoodaa Hargeysa suuqyadeedii, dadkeedii, buuraheedii, jaarkii, dhirtii mirimiriga ahayd, aqaladii iyo dariiqyadeedii. Mar dambe ayuunbaan arkaa anoo jiifa aqalkii yaraa ee Sheffield. Waxaan dareemaa inaan ku noolahay laba aduunyo. Haddii aan iman lahaa Sheffield markii aan yaraa, noloshu sida ay imika tahay way iiga yara dabacsanaan lahayd. Afka barashadiisa ayaa suura gal ii noqon lahayd, dadkana waan la sheekaysan lahaa oo wax ka ogaan lahaa dadnimadooda iyo dhaqankooda.

Way qornayd in aan aduunyada ku raago, Sheffield na arsaaqad ku yeesho da'dan. Dhaqankayga waa la isugu duceeyaa cimri dhererka. Kalgacal aan Ilaahay abuurtiisa u hayo iyo adadayg Eebe i siiyayna way i gargaareen oo xiskaygu isma bedelin. Waxaan xasuustaa sida ay waqtiga iyo waayuhu marba marka ka dambaysa isu bedelayeen Africada Bari. Dabiiciga, siyaasada, cilmiga, cimilada, aqoonta dadka, qiimaha lacagta, xaragada, gabayada iyo balwada intaba isbedel ayaa ku dhacay. Isbedelkaas oo ay keentay dadkii oo nacay wixii ay hidaha iyo dhaqanka u lahaayeen, metelayna wadamada galbeedka.

Markii aan yaraa hawo wacan oo caafimaad leh ayaanu haysanay, dhir hadh macaan oo aanu hadhsano ayaanu haysanay, hub xad-dhaaf ah iyo madaafiic maanaan haysanin. Waxaanu lahayn suldaamo iyo caaqilo, madaxweyne iyo ministar toona waxba nagalama maqnayn. Waxaanu ku noolayn aqalo aanu dhisano. Awrtayada ayaanu ku safri jiray. Waxaanu xidhan jiray dhar aanu xidhashadiisa naqaano. Waxyaalaha la isku qurxiyo aabayaashay iyo walaaladay ayaa noo tumi jiray. Kabatolayaal kabaha noo tola ayaanu lahayn. Maraykan, Ingiriis iyo Jabaan toona waxba umaanaan ogeyn.

Waxaad moodaa in dadnimadii dadku diciif noqotay, xishoodkii la kala xishoon jirayna gudhay. Awood sheego iyo lacag doon ayay aqoonti noqotay. Dhibaatada Africa ka taagani waa mid hunguri xumo dhalisay.Soomaalidu waxay ku maahmaahdaa "Dacawadii talaabadeedii ka faantay tii libaaxana gaadhi wayday". Nimanka Africa ka taliyaa taasay ku sugan yihiin. Aayaxumadii gumaystihii na gumeystay nagu reebay waxay noqotay mid aanu ka soo waaqsan weynay oo maskaxda naga gashay. Dhaqaale xumada, siyaasada guracan iyo nolosha adag ee Africa ka taagana iyada ayaa u sabab ah.

Waxyaabo badan ayaan aduunyada uga soo joogay. Umase ega inaan aduunyada joogi doono waqtiga xal loo holo dhibaatooyinka is daba jooga ah ee Africa ka dhacaya. Ha'yeeshee Ilaahay baryadiisa iyo duco ah in Rabiga weyni nas u soo rogo Africa ayaan la taagnahay inta aan noolahay.

Geeraar macaanoo guudleydii goloha timi gidigood khuseeyay ku soo goysay hadalkii.

Ilaahay baa weynoo waaxidee wuxuun cuna
Naftiyo waalalowga weheshada
Maxaa la waramay wadiifsada

Hiyigaan ku hayaa Hargeysoo
Hoygaygii baan xasuustaa

Cadceedii casar baan u ciilahay
Eedaankii baan u oomaa

Diigii ciyayaan dareemaa
Casariyihii baan calmanayaa

Cadkii iyo caanihii geelaan ceeshba uga go'ay
Eheladii iyo asxaabtii baan u ooyaa
Sitaadkii iyo Sarkii baan ku salalaa

Bariidadii jaarkaan u jeelahay

Hadhkii qolqolkaa i hor yaaloo
Caruurtii baan u heesaa

Anigu dalkaygii baan u dudayaa

Gabagabadii shirkoodiyo waxay gaadhay gobo'dii. Waagi baa guduutoo gantaalihii cadceedaa cirka gaaf ku soo dhigay. Guurtidii haweenkuna inay nabad kala gudoontaan iyo kulan gaar ah oo kale ayay talo ku gooyeen, gidigood way is taageen.

Waa in aynu mar walba xusno, mar walbana ogaano dhibka ay qabaan haweenka ku nool wadamada dagaaladu ka dhacayaan, iyo in dumarka iyo caruurtu yihiin kuwa ugu darxumada badan. Magaalada Hargeysa gudaheeda shan dumar ah ayaa si xaq daro ah, sharcigana ka baxsan dhagax loogu dilay sanadkii 1992. Haweenka waxaa mar walba loola isticmaalaa si dadnimada ka baxsan. Shantaa dumar ah waxaa la dilay iyada oo aan haba yaraatee wax dembi ahi ku cadayn. Waxaa lagu soo oogay oo marmarsiiyo looga dhigtay inay sinaysteen. Ha yeeshee cidii ay la sinaysteen iyo wax cadayn ah midna meesha lama keenin.

Dadka badankiisu waxay rumaysan yihiin inaan dumarkaasi sinaysanin haba yaraatee. Dumarka mid ka mid ahi konton jir way ka weynayd, waxaanay korinaysay sagaal caruur ah oo agoon ah. Waxaa laga dhigtay tusaale, taasoo lagu cabsi gelinayo looguna hanjabayo haweenka kale.

Xaawalaynimo ayaynu wadaagnaa, marka mid inaga mid ah lagu xad gudbana kuligeen way ina saamayasaa.

Buugan waxaanu ku xusaynaa haweenka Africada Bari ee lagu xad gudbay, lana fara xumeeyay.

Buugan waxaanu ku xusaynaa haweenka Africada Bari ee xabadu ka dul dhacayso.

Buugan waxaanu ku xusaynaa haweenka Africada Bari ee waayay reerahoodii.

Buugan waxaanu ku xusaynaa haweenka Africada Bari ee naftoodii ku waayay dagaalada foosha xun.

Waxaanu rumaysanahay in sheekooyinkayagu ina xusuusin doonaan in nolosheenu isku xidhan tahay.

Sheeko waliba unug iyo aleel baa u xidhanoo udunteedu ay tahay. Aleelihii dhamaantood xadhig bay u sooheen, isku wada taxeenoo, u direen hawada sare, cirka iyo daruuraha iyo dayaxa nuurka leh, dumarkii dhamaantood. Dunidiyo aduunkoow arka inaan af-leeyahay, indhahaygu furanyiin, oo aan arimin karo ayay hadal ku gooyeen.

Xeedho dumar wadaag aleel lagu xadhkeeyay.

Shells On A Woven Cord

MAMA East African Women's Group

Xeedho Dumar Wadaag Aleel Lagu Xadhkeeyay

Hooyada Africada Bari

MAMA East African Women's Group
2000

Acknowledgements

The MAMA East African Women's group would like to thank:

Amina Souleiman, who translated the text and participated in the interviewing process.

All members of MAMA

Mama Ambaro Madar Hassan	Mama Zulekha Musa
Mama Asha Abdillahi Mohammed	Mama Fatima Osman
Mama Fatima Ali Zinzibari	Mama Khadija Abukar
Mama Osob Abdillahi Mohamed	Mama Mako Adan
Mama Amran Souleiman	Mama Mariam Yusuf
Mama Haweya Ebrahim Adari	Mama Kinsi Muhumed
Mama Shuun Abdi Hassan	Mama Roda Souleiman
Mama Shurgi Mohamed	Mama Hodan Ahmed
Mama Ismahan Kulan Yonis	Mama Asha Dalal
Mama Amina Souleiman	Mama Faisa Warsama
Mama Ougbad Warsama	Mama Anab Ali

THE WAY IN

The world is a wondrous place and some would say each continent is a family, each country a person in its own right.

Africa is an assembly of wise women who clasp each other's hands as they gaze the world confidently in the eye.

There are moments of stillness, there are moments of swaying, moments of blazing dance and wild abandon, moments of knowing, moments of slow steps through mourning and counting loss, there are moments of giving thanks, and moments of prayer, stooping.

One of the oldest wise women is Mother Somalia who rises from her long night's meditation, strolls across blood red hills and plains and settles by the coast in the morning sun to savour the waves of the sea.

All day long, as she counts the waves, her own scattered daughters draw near. Sometimes they have travelled from the four corners of the globe. It is as though wind and water have brought them together, all together, on this glorious morning.

Soon, as far as the eye can see, the sands are covered with women, sitting, looking, waiting. Women as numerous as the shells on the shore who sit and look and wait until the sun reaches its highest point, watch as it dips in a slow, low arc and slithers into the sea.

Finally, when the women are cloaked in the wrap of the night and moonlight sponges the shore, Mother Somalia rises once more and speaks to her daughters in clear, firm tones. She thanks them for journeying once again home and invites them to open their ears to their sisters' stories. Then she beckons to the women from Sheffield who stand and share their words all through the night till dawn.

Mother Somalia listens to each story, and, nodding, slips a shiny, white shell along a woven cord.

There is a shell for each story. One by one the shells are threaded and the stories released to the moonlight, the sea, the women on the shore, then out to the whole world.

These are some of our stories.

Shells on a woven cord.

It is dark but for the moon that catches the crest of the waves. The woman who has silently made her way to the front of the crowd seems old in her movements, young in her voice. She calls out a poem for all time, a poem which echoes on and on in everyone's hearts and minds.

I remember who I am

I am a scattered daughter
Somalia my country
East Africa the broad place
I call home

I remember who I am

When I switch on
The television
In Sheffield

Image upon image
Of dying children
Of women with hungry
Eyes women with losing
Eyes holding out a
Beggar's hand

I remember who I am

As I hear of more
Fighting, killing,

Slaughtering
Machete murders
Petrol bombs
I remember who I am

When I learn of yet
Another epidemic
Another famine
Another flood
Of AIDS coming of course
Out of Africa
Of another military coup
I remember exactly who

I am

It is easy to peddle photos
And diminishing words

Africa ... and dignity?

Why, we are the entertainers
Of the world!
Squirming insects
In the heat of the sun

I lie through long, grim nights
And remember

Sit through so many
Insulting conversations

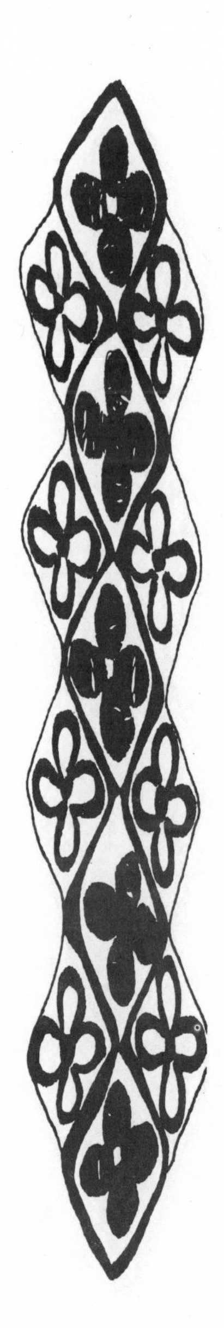

And remember
So many shrunken pictures
Of our lives, of our living
And remember

Perhaps it is the guilt
That makes people in the west
Sub-humanize us still
Is our continued suffering
A deliberate western ploy?

I remember
I remember
I breathe out
And remember

I remember my long-strung history
My civilisation that stems back
Thousands and thousands of years
My medicines, my music, my perfumes,
My stories, my soft walking on the face
Of the earth and the words of the ancestors
Calling

Then I switch off the television
In Sheffield
Decide to stop paying the licence

And quickened and warmed
With memory celebrations
I remember who I am

A young girl slips to the front of the crowd. The dipping moonlight shimmers on the water and a hush reigns as Faisa begins:

When I was in Somalia, we were told stories by my great-grandma, stories and fables. At night, sitting around an open fire, we used to pass our stories to each other. In my life in Sheffield, I watch television a lot. I like 'Neighbours'. But my favourite story when I was living in Somalia, is a story called 'Friends' about two sisters who lived in a Bedouin territory, and a fox.

The two sisters used to tend the herd while their mother was busy with the cooking and the fox used to come and snatch their lambs. So one day the two sisters were so fed up about the fox that they decided to make friends with her. They sang a little song:

'You fox, we can be friends if you stop pinching our lambs.
Then our mother won't hit us again!'

In the end, the two sisters and the fox became good friends, such good friends that the fox even helped them with their work of tending the herd.

'This is a tale of a very strange woman,' declares the young mother, who replaces the young girl, her back to the sea. As she rocks her tiny baby in her arms, she utters familiar words. Words which are not to be taken at face value.

Dhegdheer Folk Tale is the tale you are about to hear. Once there lived a strange woman, Dhegdheer, with a very big ear. She lived in a huge house with her two daughters. She never let her children out, they were always kept at home. Dhegdheer left her house to find food. The food came from the people she had slaughtered in order to have something to eat.

One morning she strolled off as usual to find food. While she was away, an orphan girl knocked on the door of the huge house and one of the daughters let her in.

Both daughters realized the danger! Both daughters realized that if their mother found out, she would kill the orphan girl for food.

They wrapped her up in a thick grass mat and said, 'Stay here. When our mother returns, do not come out.'

When Dhegdheer reappeared, she smelt a very strange smell and said to her daughters, 'What can I smell? Is someone here?'

The girls replied, 'No, Mother, dear.'

When Dhegdheer dropped off to sleep, her ear flopped down to the floor. The orphan girl whispered to the daughters as she peeped through the grass mat, 'When your mother falls into a deep sleep, we must kill her.'

So when Dhegdheer was sleeping soundly, the daughters boiled up the water in a huge pot. And when they were sure she would not rouse they poured boiling water into her ear. And Dhegdheer, greedy Dhegdheer, died.

When she was alive, no-one ever came near the house for they were afraid she would kill them for food.

Her daughters finally killed her with the help of the orphan girl and they climbed a tall tree and chanted,

'We have managed to kill greedy Dhegdheer!
We can now all live in peace
Come back, come back
All you people who
Fled her wicked ways.'

So the people returned and were able to live in happiness at last.

The young mother smiles at the women on the beach. But none of them is smiling. They are looking inside themselves, searching for traces of all-consuming hunger, of self-satisfaction at any price which are tainting their own lives.

The sky is so dark and at first it is hard to make out the group who shuffle forward. But, as they start speaking, it becomes clear that there are four women who wish to share story snippets from their lives. Fatima, Hodan, Khadija and Fatima Ali all tell their stories in turn.

My name is Fatima, I was born in Hargeisa City in the north-west of Somalia. I have four sisters and four brothers. Since I was one of the youngest in my family, I was treated in a special way by my mother and older sisters and brothers.

I went to school in Hargeisa and after I finished intermediate school, I began a nursing course at the Hargeisa Nursing School. I specialised in pharmacology. Soon after graduating, I was given a job at the Somali Pharmacology Industry in Mogadiscio where I worked until the civil war broke out in northern Somalia.

The civil war did not start overnight. The political, economic and social crises in Somalia had gradually worsened until one night an exchange of heavy artillery and shelling began. I was in Hargeisa at the time, on a short visit to my family.

It was midnight when the exchange of heavy artillery occurred. Everything happened so quickly. The next thing I knew I had crossed the border into Ethiopia. I didn't know where I was going. I walked for three days without food or water.

The civil war has not only driven me out of my country but has also diminshed my ambitions. Language has been a problem for me. I wanted to continue my profession but I don't stand a chance of getting

a job as a pharmacologist in Britain until I improve my language. I am still learning and it will take me some time to achieve my objectives.

Europe is a tough place to live. It is very hard to find a decent job and, without a decent job, one has no life. Europeans have their minds in their eyes. If you dress well, the shop assistants will rush to you. If not, you will be the last to be served. They call this civilisation. I have learnt a lot since I have been living in Britain - this everyday experience is my education. Although there is a huge difference between the part of the world I was born in and the one I live in now, I see that there are many similarities inherent in human nature.

God is great and his world is the greatest of all great wonders. My name is Hodan and I was born in a rural territory called Hawd in the Ogaden region in East Africa. My mother died at birth and I was brought up by my grandmother. When I was young, I was told that my father went to a far away country to find a job. I was told that he crossed a big sea by small boat and went somewhere near where the sky joins the ground. I was horrified by the story and burst into tears. I felt sorry for my poor father. I had dreams about him even though I had no idea what he looked like. I wished him safe and well.

The story grew in my head and I began to wonder about his whereabouts. I asked people for what little they knew had of him.

I got married and settled in a village called Odweyne. One day a man came to the village looking for me with a letter and some money from my father. I was cooking and I had a pot on the charcoal fire. I was so overwhelmed with joy that I forgot about my cooking and sat down with the man, asking him question after question.

I was jerked back to reality by the burning smell of food! As I didn't read or write, I rushed to Odweyne Infant and Junior School to ask someone to read the letter for me.

The letter said my father worked as a seafarer, that he married an English woman and they had three children. I was so relieved to know my father had survived. But the idea of him marrying an English woman and having mixed race children worried me a lot. I felt too ashamed to tell people my father had married a white woman. It was unacceptable, especially in the Bedouin territory in which I was living. My uncles shook their heads and from then on described my father as a waste.

No matter what people say, I continue to love my father and was very happy to hear from him. I have kept in touch with him ever since.

One never knows one's destiny. I am Khadija, born in Mogadiscio, the capital of Somalia. I came to England in 1991 as an asylum seeker. My father was a business man and I had travelled with him to Italy and Germany several times before the civil war broke out in the southern regions of Somalia. This gave me the opportunity of seeing European cities. I had graduated from the School of Economy and Business Studies in Mogadiscio and was about to travel to Italy to continue my education when the civil war erupted. My father was killed in Mogadiscio and my mother is now in Kenya.

As an only child, I wanted to have a family, a husband and many children. I lost that dream when I lost my country and became a refugee. Not only because I lost the man I had in mind but also because the children's suffering I witnessed ruined my appetite for becoming a mother.

Although I was the only child in my family, I was surrounded by cousins, neighbours and friends and was never left on my own. The civil war has changed my life and taught me hard lessons. As I cannot get a full-time place in Higher Education, I do part-time courses and at the same time, work part-time as a cleaner or a waitress. I save what

little money I can to send to my mother and cousins in Kenya. I hope that peace is restored so that I can return to Somalia and join up with my mother and cousins.

Refugee life is very tough, people show no respect towards you. I have lived in Britain for three and a half years and have not been out of the country. I was horrified to I find out that many countries do not allow refugee people with travel documents to enter their country.

Last year I wanted to visit my mother but I was rejected a visa to Kenya because I am a refugee. This year, I wanted to travel to Sudan to meet my mother but was told by the Sudan Airways agent that they don't sell tickets to Somalis.

I feel that I am an unfortunate creature born in the wrong world at the wrong time. And yet, I am a believer in miracles and trust that one day my wishes will come true right out of the blue.

I am Fatima Ali, I was born and brought up in Dar Es Salaam in Tanzania. When I was nineteen, I was sent to the rural territory of Hawd to marry a man of my tribe. I didn't speak the Somali language and I knew nothing of Bedouin tradition. Although I was well aware of Islamic culture, I found great difficulty in adjusting to Bedouin life. For there are many traditions and rituals which are far removed from Islam.

In Hawd, women participate in all aspects of life. It is a woman's job to design, structure and build the *aqal* or Bedouin house. Women tend the herds of sheep and goats, milk the herd, churn the milk, collect water, cook, clean and look after the children. Men tend the camel and sometimes go to the village to get supplies of food.

Building the *aqal* is a tough job which involves a long learning process which starts the day a girl child takes her first steps. The art is passed from mother to daughter and has certain tricks and superstitions. In the Hawd territory, women are respected and celebrated for this unique technique.

For me, it was a different story. I wasn't taught about the art so I failed to build a house for myself and my husband. I then became a butt for jokes and laughter.

The Bedouin people of Hawd are the most arrogant people I have ever known. They regard themselves as the most handsome, intelligent and heroic race on earth and they don't listen to anyone else. Since they are poetic people, they express everything - feelings, criticism, romance - through poetry. They talk about four things, superiority, men, battles and camel. Their attitude to women is that they are born to take care of men. When a girl comes into the world, she is greeted with kitchen utensils and baby carriers whereas a boy is greeted with swords and rifles.

Abruptly, Fatima stops. The four women have aroused much emotion. You can feel feelings of sadness, compassion, anger, indignation thick in the air on the still beach in the deep dark of the night.

One figure stands against the contours of the night, does not move to the front, but calls out from where she's sitting, 'Let us remember Hawa Tako.' Other women murmur and the figure continues, her voice full of passion:

Hawa Tako is one of our most famous women. She is renowned for her bravery in the battle for independence which was waged against Italian rule in the south of Somalia. She was born early this century in Mogadiscio. She died in 1950 when she confronted Italian soldiers with a rifle. All peaceful demonstrations for independence had been rejected. So Hawa Tako marched against them with her baby on her

back. As many of you know, a monument was built to commemorate her after we gained our independence from colonial rule. The monument stands to this day in the centre of Mogadiscio city.

A mischievous teenager dashes to the front. You can see her grinning in the moonlight. The sadness of remembrance is scattered slightly.

This is the story of Queen Arawelo. It is a feminist story, one that is hundreds and hundreds of years old.

Arawelo lived in Northern Somalia, sometimes in the towns, sometimes in the city. She was a woman with courage and personality. She was a woman of strong character. She was a woman who experienced much discrimination from men which eventually turned her into a great feminist. Some would say she challenged men in a cruel manner. You see, she couldn't put up with the way men treated her. She hated men's patronising attitude to women so much that in the end, she developed the same attitude to men!

She was a very civilised woman, a woman with great knowledge. She would negotiate with men to retain her power and self-respect.

She ruled many parts of the country and when she failed to get agreement with men - they refused to share power with her - a mere woman! - she used force.

She was driven to waging war on men. She assembled an army of women, attacked the men who did not take her seriously and killed many of them. A lot of men were so terrified, they easily agreed to her requests.

Yet as the years continued and the same situation kept cropping up, that men would refuse to take her seriously, she developed a policy of killing boy children as soon as they were born or allowing their mothers to flee with them.

She herself had a husband whose name, Oday Biiqay, means 'Old man with no respect'. People always expect old men to be respected. But he was entirely without power and married to a woman who entirely ran the show.

Arawelo had one child, a daughter, who was pregnant. The child she bore was a boy.

Her chief advisor said to Arawelo, 'We kill other women's sons. This child must be killed too.'

Due to the threat of murder, her own daughter fled with the new-born child.

The years continued and Arawelo found herself increasingly battling against women. Even her own daughter was now her enemy. The legend tells us that Arawelo was murdered by one of her grandsons but I believe one of her women supporters will have taken her life. For, in the end, she had become so vicious, that all the support and respect she had won dwindled away to nothing. This is a tale of excess to be avoided, of how good qualities when taken too far, sour into evil.

> Then, leaving the women to dwell on her words, the young woman bobs back to her place in the crowd.

> While the women dreamily watch the rolling of the moon and feel lulled by the regular hiss of the waves, Mariam stands and beckons to her children to stand too.

When I came to Sheffield in 1989, I had these two children with me. I couldn't understand anything people said. It was difficult to do what I wanted. There weren't many Somalis living in Yorkshire at all, just a few. We had a lot of problems.

When you have children and you can't speak English, it makes life hard. Sometimes they get poorly - they have a cough - and you can't understand the doctor or communicate at all.

One day my little daughter Yasmin had a cough and a fever. I took her to the surgery. I'd wrapped her up very well because of the weather. I thought, 'She's feeling the cold,' and put on layers and layers of clothes. When I arrived, the doctor said to undress her and I took off everything. She said to me, 'What's all this? Do you want to kill her?'

We've had many problems. There was just me and my daughters. The worst problems were the language and the weather.

When I went to the shops, I couldn't say what I wanted. I had done a bit of English at secondary school in Somalia but pronunciation has always been hard and it takes some getting used to! I attended Castle College for three months. Now I'm at Loxley College two days a week.

I still want to improve my English and eventually learn computer programming. Then, when things settle down in Somalia, I'll be able to go back and do some work there.

It's not so bad in Sheffield. I used to live in the capital city of Somalia. Sheffield is all hills, in Hargeisa, it's all level.

I feel safe in Somalia because it's my country. Here, it's hard to get to know people, hard to make friends, hard to understand what people are saying. In this country, it's not safe at all. All the time, I see on television that there are killings, rapes. I can't let my children out on their own. In Somalia, you can let children outside and they play as long as they like.

I started school in 1974. We don't have nurseries, just primary schools. I finished secondary school in 1984, then I did two years' teacher-training. After that, I passed an exam. When we finish secondary school, we have to do two years' training for whatever line of work we choose, a teacher, a soldier, a nurse. I passed the exam and

then went to Lafoole University where I studied for a year. I did Physics and Maths, and it was very hard. I gave birth to my eldest daughter then, so I just left. I went to get a job as a teacher. Before I could find one, terrible things started happening. So I just left.

I came to Sheffield as a refugee. The war began in 1988 but we came on January 1st. When I left Mogadiscio, the war had not yet begun.

We have different tribes. My people live in the north of Somalia. All the people from our tribe, the northern tribe, left Mogadiscio where many people got killed.

I went to the British Embassy in Mogadiscio and they gave me a visa. When I was in Somalia, we had a lot of houses and businesses. It wasn't that bad. So we had some money to change into dollars and to buy plane tickets with.

When I'd been in Sheffield two to three months, I got very homesick because I missed my home and my people. It is not safe with the war. But I still hang on to my hope of returning.

Here I live alone with my children. It's too much. I have nobody to help me. Sometimes I get confused. I take them to school, collect them from school, take them to school. I find it hard on my own.

Which is why my thoughts often fly home. Remembering rich details. My favourite place is Mogadiscio. I lived there so many years. That is where all my friends are.

I always like big gardens which grow everything with fruit. On Fridays, I used to go to the public gardens with banana trees, orange trees, mango trees. Friday is our holy day, Thursday afternoon and Friday. I would just go there, eat some fruit and sit in the middle of the garden, watching the birds...

Maybe my husband will come to this country. I've got him a visa. I've been waiting nearly three years to get him a visa. It's been a real struggle. I sent letters twice to Addis Ababa. First of all they refused but they have now finally agreed. I hope he'll come quickly.

An elderly woman with a bounce in her step bowls across to the front of the crowd and replaces the younger woman.

'Is everybody ready?' she inquires, with a twinkle in her eye and laughter in her voice. Women in the crowd murmur and nod. 'Then let me remind you of the delights and joy known to many among us that we have encountered at the Sar parties!'

A second murmur ripples through the crowd. The elderly woman throws her head back and laughs whereupon she begins in earnest:

As many of you know, the Sar is a type of belief. But more than that. For many among us, it is a way of living. The Sar spirits themselves live as tribes and families. 'Mama' is the mother in a Sar family, the oldest member of the clan. The Sar can give us much assistance and help us in our lives and this is why, over the ages, we have developed special ceremonies or parties.

There are many different Sar clans and we do not know them all. Indeed, it is impossible to say how many clans exist. But a family will choose a Sar clan and honour and respect them in very special ways.

In my family, the Sar clan we honour has the colour red. This means that when I'm throwing a Sar party, I have to wear all red clothes. The Sar spirits have their own jewellery which we present to them. For example, when a new child comes, people remember there is an evil spirit and a good spirit. They will contact their Sar spirit and give jewellery so that the good Sar spirit will watch over the child. It is important to give the Sar a gift whenever we are asking for a service for ourselves.

These family customs are not from yesterday but have survived thousands and thousands of years. I believe we can trace Sar worship back to ancient Abyssinian and Egyptian times. Even if some religious groups disagree with the practice, I believe we should maintain it because it is a whole culture and a special way of doing things.

For us, as many of you know, Sar worship gives us a form of relief, relief from illness and also a way of managing stress and depression.

Many African women suffer from stress and depression without recognizing it. To a great extent stress and depression are taken for granted.

Despite the fact that African men expect women to do everything for them, women go through hard times, having many children, being the mainstay of the family and the breadwinner at the same time.

East African women are responsible for almost everything in the family and this affects their health. The Sar worship and the special parties are what keep their hopes alive. But it is true, the party itself costs a fortune! We have to buy a lot of clothes, and expensive jewellery, gold and silver. We have to decorate the house with numerous embroidered cloths, rugs and woven or wooden ornaments. Men often complain about the cost involved - and a lot of them believe that women throw parties as an excuse to buy new jewellery and clothes. They are probably just jealous since they are never included! But it is vital to the ceremony to have all the right jewellery and clothes, believe me.

For unless we give the Sar spirits what they want, they may turn against us and even destroy us. I have forgotten to mention that we must also provide a mountain of food and drink for the women invited. The special food required is chicken, dates and rice, and a lot of vegetables.

The main drink available is strong coffee. Some of you who were not born in Somalia may not even know how to prepare our coffee! But without the correct strength coffee, the Sar spirits will not arrive, for coffee is considered the drink of all the Sar clans.

We must also burn incense only found in East Africa which we call *foox* or *beeyo*. The *foox* is the link between the two worlds and carries the message to the Sar spirits to come to the party.

The party itself is a time for dancing when we move our shoulders, our heads and sometimes our hips. Our dance is a powerful ecstatic dance that goes on and on to the rhythm of the drum and the metal cymbals some women tie to their bodies.

One woman will conduct the party and we call her *macilimad* which means teacher. It is an inherited talent to lead the party, not every woman can do it. My own grandmother was a very talented teacher but I cannot perform as she did.

The arrival of the Sar spirits among us is signalled by women starting to faint and collapse. When the Sar comes down, all pressures, depression, illness goes away. After the spirit has entered the human body and then leaves again, women feel completely re-born, all their problems have disappeared.

The ceremony lasts seven days, day and night without a break. The family who are offering the party must stay throughout. After you have attended three parties, you can become a teacher and are given a *duub*, a crown. Then you are permitted to conduct a Sar party.

What is amusing is that sometimes the spirits do not co-operate and enter someone else rather than the person the ceremony is for. I remember one party thrown by my aunt who didn't faint at all during the entire seven days! Everybody else was fainting all over the place but she remained conscious throughout. In fact, the only thing that happened to her is that she got very, very upset.

In the end it all comes down to belief and faith. If you don't believe in the Sar spirit, there is little chance of the spirit entering you.

The elderly woman stops and she is beaming as though once again beholding wild, inviting movements of throngs of dancing women. There is a lightness in her step as she saunters to her place among this crowd of women.

In the thoughtful silence, as the deep dark is softened by promise of morning, Asha Mohammed leaps to her feet. Her strong voice hurls out a proverb which works like magic. The mood lifts and the women rock with laughter. 'It is better to say I have a donkey, than I used to have a camel,' she reminds them. Then slowly, authoritatively, delivers her own life story to eager women on the shore.

What annoys me most about being in the West is when people ask me whether I have ever lived in a house, whether I have ever travelled or whether I had a decent life before I came to England.

I was born in 1930 in a village called Raybad Khatumo in the north of Somalia. I went to the city when I was eighteen years old to explore what the city was like. I was an ambitious woman. I wanted to establish a business where I could make a lot of money and support members of my family and friends. My father died when I was little. I only had one brother and his beliefs were that everything I owned was his. He never appreciated what I gave him, he just took it for granted. His attitude was that I was doing it for him! I came from a family where we have always been in business. My maternal grandfather and uncles were all jewellery makers. Although my father was a Bedouin, on my mother's side there had always been business people.

My dream was to leave behind the Bedouin life which has few opportunities for women. I realized that it was only in the city that I could achieve my ambitions and goals and so I decided to go to the city.

All through my childhood I'd heard of cities like Berbera, Aden. I'd even heard of sea-faring people who travelled to distant countries. I dreamt of travelling by boat across the seas to find out for myself if those travel stories were true.

It was entirely my idea to start a business without the help of father, brother or husband. I travelled to Berbera, in the north-west on the

Red Sea. The business I wanted to establish was exporting livestock from Somalia to Aden. It was an entirely male-dominated world.

I found it very difficult to enter this line of work. When I arrived in Berbera in 1955, I encountered a lot of problems, partly because I came from the country but mainly because I was a woman.

I gathered my herd of sheep and wanted to ship them to Aden. The name of the ship was Abu Bis. The agents on this ship were all male and when I told them my story, they all laughed and said, 'It is impossible. You can't export your sheep. But you can sell them to us.'

I refused to sell my sheep and insisted that both the sheep and myself would board the ship. I argued that I had the same rights as everyone else since I was paying my fare. The dispute continued. The men offered me double the price for my herd. I still refused. I wanted to see what these men were hiding from me, what they didn't want me to find out in Aden. Finally, they allowed me on board with the herd. I had to face one humiliation after another. The men deliberately mistreated me in order that I give up my objectives.

A few days later we reached the border port of Aden. The humiliation on ship was nothing compared to my experience at the market. It was all men. They could not accept that there was a woman among them. I was told to leave immediately. My herd was segregated from the others and nobody wanted to buy. There was nothing I could do but leave my herd with one of the men and beg him to be responsible for it. Then I had to go away from the market.

My herd was sold for a lot less than I could have obtained in Berbera, in fact for a quarter of its value. But this did not make me give up my ambitions. It was a good experience for me and a challenging one.

I went to Aden clothes market and bought some clothes and perfumes with the money and the next day I caught the ship and returned to Berbera.

I sold the items I bought in Aden and established a small clothes shop in Hargeisa City where I sold women's and children's clothes, jewellery, perfume and incense.

In East Africa, women like to have clothes and expensive gold and silver jewellery. My business gradually expanded and I returned to Aden to buy stock. Unfortunately, I had to give up the business of trading in livestock - even though it was the most profitable area - as I couldn't bear the daily humiliation.

With perfume and clothes, it was less of a problem for a woman to trade. I was dealing with women customers and women retailers and I managed to develop my own women's trading sector. When the business prospered, I started to deal in a wide variety of items - domestic appliances, rugs, carpets, men's clothes, shoes.

I had no business knowledge in the strictest sense of the term. But I believed in myself. I've never been to school; I was born in Bedouin territory, there were no schools for girls, only Islamic schools for boys. I had a mother who brought up five girls and a son who were her children and took on another four adopted children on her own as a widow. She was later forced to marry her husband's brother against her will.

Ever since I was a very young girl, I had needed to develop my courage. I knew the suffering, the hardship my mother endured because she was a woman who had given birth to more girls than boys. It is not acceptable in Bedouin country to have a lot of daughters.

My mother is the pillar of my life - a source of all my strength. The way she lived was my education. I too was a strong woman. I had skills and knew how to negotiate.

Our way of doing business is different to the West. We didn't have investment strategies. In the beginning, when I started my business, there were no banks. I used to count my money at night when I was

not very busy and then pack it in sacks. I lost a lot of money because sometimes people borrowed from me and didn't repay me. But I always replaced it in time some way or other. I knew when was a good time to travel and when was not. I learnt from everyday experiences. One time I lost stock when the boat sank. What kept my business going was my courage. In terrible situations, when I'd lost almost everything, I was still determined.

I wanted to buy a house, to have riches, to have things that I had earned, that no man, no brother had given me, possessions that I had obtained myself so I could say, 'This is mine.'

I was a business woman from that day in 1955 until the day in 1988 when the civil war started in my country. I travelled all over East Africa and also to the Arab countries and to India. I owned lorries, houses and land.

Having my own family was not important to me. Before I went into business, I did think about one day having a family. But once I started my work, it was an issue I forgot.

Through my work as a business woman, I faced many difficulties. I was arrested several times by the Somali and Ethiopian governments. I was deliberately accused of being a spy when the Somali government tried to stop my trading in Ethiopia.

As I was born in the parts of Somalia ruled by the Ethiopian government, in 1975, when the drought started in the Ogaden regions, I travelled there to participate in the aid services.

I built a well in a Bedouin territory called El-Baxay in the Ogaden region and started to build a petrol station in order to supply petrol to the lorries which were transporting goods to people.

As a result of this operation, in 1977, when I returned to the north of Somalia, the Somali government imprisoned me for three months. My international trading licence and my passport were removed and I was ordered not to leave the country.

When I was being arrested, my brother went to the village I'd built and took everything. He inherited everything as though I was dead. He took my herd, my wealth. That is the attitude of men in the Bedouin territories. What they believe is that a woman is born to care, work and be the servant of men. It doesn't matter whether they're brothers, husbands, sons. The attitudes exist in all of them. I've encountered more harassment from my own brother than any other men.

I lost a lot of my money and was not allowed to trade internationally for eight years. During this time I took up charity work which helped keep me going. I was given my passport back in 1982 and then started trading internationally the following year.

I had just returned from a trip to Saudi Arabia in 1988 when the civil war broke out in the north of Somalia. I stayed in one of my houses with my mother. The house was shelled and gradually destroyed over four years.

I endured shelling after shelling. I witnessed my possessions being looted, my other houses being totally destroyed. And I was threatened by soldiers every single day.

I regretted not having a family. I'd lost everything I'd ever owned. During my working life, I hadn't thought about it much, but suddenly, I felt guilty.

I came to England in 1993 and now I live in a council flat in the Broomhall area of Sheffield.

I am a refugee. I have no status whatsoever.

There is a slight breeze and the night lightens through shades of blue. The light whoosh of the breeze complements the crisp step of the woman who wends her way from the back of the crowd right out to the front. Her face wears a broad grin which reveals her deep delight at addressing this assembly of women. She begins:

I have always wanted to tell a story about myself and other women I share experiences with; we have so much to tell. I hope everyone who hears our stories and poems will be inspired by the creativity of East African women.

Starvation, brutal killings, pictures of emaciated children with swollen stomachs, civil war and flocks of refugees fleeing are images so long shown by the Western Media as the only image of Africa. East African women would like to reveal the real image of Africa. An image far removed from the one continuously pushed by Western Media.

I belong to a Bedouin tribe and a Muslim family. I was born, brought up and educated in East Africa. I came to Europe in the mid-eighties to scramble after Further Education. Yet my desire for the West began when I was at school. I shared the American dream with many other African students. We wore T-shirts marked USA, the Big Apple, New York, Michael Jackson etc. In our naivety, the fabricated stories of American movies haunted us. We modelled ourselves on Hollywoood stars.

At school I remember reading a comic about an African cartoon family. Although the artist avoided clear criticism, the image had a lot to say about the state of the 'modern' African family and has stuck in my mind. The kind of family where the father is a confused politician who puts the wealth of his country in his pocket and the mother lives an unrealistic life. While the family dine in their lavish dining room, the mother complains about food shortage and the fact that her piles of money can't get her food of the right calories. The father then takes over the conversation and says, 'Oh, my poor dear wife. You are complaining about a food shortage. Don't you know Western scientists are planning to ship us to other planets in the year 2000 to test out whether humans can survive.'

My eldest brother who was studying in New York at the time sent me postcards of tall buildings, shopping centres and busy roads. He told me exaggerated stories of buildings way up in the clouds, robots that wake you up for your breakfast in the morning and machines that give you hot spaghetti and even the most delicious Bedouin dish: dried, roast camel meat served with dates.

The reality of the West is so different to the expectations of the many young Africans who are taken in by Western movies. I sometimes blame myself and others like me for the suffering of our nation. If Africa had not been abandoned by the people she has given birth to, her situation would be different.

After nine years away, I returned to the city I was brought up in, Hargeisa City. My memories and experience have left me with touching sentiments, more intense even than those of my birthplace.

When I was a girl, Hargeisa was a very peaceful place. I lived in a community of more than a thousand people, all relatives. Everyone in the whole neighbourhood was an uncle, auntie, cousin or cousin's cousin.

One of my earliest memories of Hargeisa City is my school days. I remember my very first day. I followed my sister to the local Islamic school, known as *malcaamad* in Somali, which was about a hundred yards away from our house. The school was run by a man called Uncle Mohamood. He was a local man, highly respected in the community. The school had a large number of children and only one teacher, Uncle Mohamood. Like myself, the majority of the children in the school tagged along with their sisters, brothers, cousins and cousins' cousins.

We all had a good excuse for not paying fees as Uncle Mohamood had a policy exempting under-fives.

When I got up that morning, I put my dress on back to front, my shoes the wrong way round, and my hair was uncombed. But how you dressed and what you wore posed no problem at Uncle Mohamood's school.

Sometimes I went to school barefoot. At school, I sat next to my sister on a long wooden bench. As I already knew all the children there, I didn't need to introduce myself. I was given a piece of writing wood twice my height - called *loox* in Somali - and later joined a group of children making ink. Ink-making was fascinating. We collected pieces of charcoal, threw them in cold water, grated them on a smooth stone surface adding drops of water and sugar. We collected the liquid and poured it in a jar. The next day, with my new ink, I took my first lesson.

It is amazing. Things change so easily, so quickly. When I returned home, I was horrified by the damage that had been done to my city, to my people. It is hard to describe my feelings when I learnt of the suffering my city has undergone over the years. I tried to see my former school-friends. With great difficulty, and after I'd nearly given up trying, I met up with one friend, Fatima Mohamed Hassam, who, like me, was a visitor, back from Saudi Arabia.

People asked me, 'Who are you looking for?' - 'How long ago are you talking about?' The final answer I was given was, 'We have never heard of anyone of that name.'

I felt as if I have been dead for many years and risen from the grave. My beloved city was a foreign place.

A tall woman in her late twenties reminds the listeners at dawn of the generation upon generation of East African women, of their strong,

rich heritage, how they all deserve the title 'Queens of Sheba'. She weaves her hands as she speaks with pride of the example the Queen of Sheba has bequeathed to them all.

She was an Abyssinian woman and she ruled over the whole of East Africa. In fact, not only East Africa but Southern Arabia as well. In East African history, she was the greatest ruler of all times.

She achieved great honour and, compared with what is happening in Africa now when the majority of rulers are male and concentrate on satisfying their greed, on establishing dictatorships, she was a very wise woman. Although she ruled men, she never hated them. She always treated them with respect even when they were fighting her.

She was a heroine and when King Solomon came to convert her to Judaism, she considered his beliefs with respect. That is where her power came from, her ability to respect.

As soon as she became Jewish, she lost her power and her greatness because there were certain laws to be obeyed, certain traditions.

In the Pharaoh tradition, women have always had the title 'goddess of mercy' or 'goddess of compassion' whereas the men had titles like 'god of cruelty', 'god of punishment' .

East African women have always approached life with broad minds in our tradition. In the Western tradition, there is doubt as to how broad-minded Queen Victoria was!

Women have always stood out in history, in the ruling of East Africa and even now, after civil war, it is women who rebuild the lives of people, it is women who are the peacemakers.

East African women organise events where we actually invite the tribal chiefs and show them the brutality. We do performances and sing to reveal the extent of the brutality. We speak about the civil war and embarrass the men by showing them the extent of their viciousness.

You should see us at the refugee camps! We nurse casualties, build schools for children and take care of our families. Even when living conditions are horrific, we hang on firmly to our hopes and aspirations. We have learnt that there is nothing worse than losing everything. We know how easily this can happen.

Some of us had wealth and status before the war. As refugees, we are stripped of everything. With so much hatred and discrimination everywhere, we were the victims of hostile soldiers who raped us for revenge on our men.

Yet still we continue to take care of everyone's welfare. Women work together in groups and organise projects.

One such project is *Hawd* - the South - and the initials stand for Women's Peace Initiative. We refugee women work alongside Bedouin and rural women on a number of development schemes in rural and refugee areas.

Practically without resources, we collect our art and craft and put together exhibitions. Some of us compose poetry which deals with our experiences. There are poems which tell of rape but do not identify the speakers for fear of shame or criticism or gossip.

Let us share with you one of our poems, a poem for five women in discussion with our Mother Eve.

Four more women stride to the front and the incantation begins. Four women group together while another stands apart. She plays the part of Eve and opens the reading in thunderous tones.

Our mother Eve

Eve
In the eyes of the world
Success is for the taking
So men have no fears
Confident they can conquer
The world, the planets, space
They manufacture their weapons
To kill their cowardice
Deaden their deep fear of nature
But I know of women's true security
I ask you, my daughters,
What have you succeeded in
What sort of lives do you lead?

First Woman
We carry on our lives
Where you left off
We live the life you
Bequeathed to us
We still carry the burden
You saddled us with
We are dragged along by a yoke
It was you who held us back
And allowed men to shackle us
It was you who told us
Who ordered us not to compete
And dubbed us 'servants'
Why are you concerned
About our security?

Eve
I know you are dragged along by a yoke
I take the blame
But I was fooled into
Not giving you an equal
I know that your children
Suffer
Beneath the burden men saddle
You with
Made harsher still by their evil
Their brutality
I know that you suffer
Shots and shellings
Day and night
I am hurt as much as you

Second woman
We were forced to flee our homes
Our children were shot dead
In front of our eyes
Success?
We live a life of horror

Success is a sand grain
In the wind
We only want calm in our lives

We want peace yet how far away
It resides from our lives
We give birth to
A power that destroys us

Like you we go on admiring men
We inherited your madness

Third woman
This inborn respect of men
We give them names of honour
We sing songs for their celebration
We fetch and we carry them
In return, what is our reward?
We thought they would grow to be heroes
Vicious animals is what they become!
Their greed, their will to possess
Take pride of place in their lives
Like famished hyenas
Ravenous eagles
They delight in preying on
Women and children
Are we to blame?
Did we deceive ourselves
When we favoured our sons
Above our daughters?

Fourth woman
In so doing we have treated
Ourselves without respect
How high the price we pay
For a life dictated by men
Scorched by the sun
Living on leftovers
From the West
Even horses would spit out

The cornseed we are given
We are humiliated
Vilified by the boasts
Of 'our saviours'
From the west
Our respect and dignity
Have been robbed
By wide lens cameras
We are disappointed
Distraught that in so many ways
Our men have failed
Let there be no talk of success!
Our situation grows worse
Helplessly we lie
Beneath the blaze of the sun
Our houses have been destroyed
So many of our loved ones
Have passed over
To the other side

All women
When we, your daughters,
Weigh up our lives
Beloved Mother Eve
This is what we find
In the scales
This is all we find

As the new day sun fills the sky with warm light and a flock of birds rise high and rush over the calm water, the old woman is helped to her feet. She leans on the women on each side of her who are bearing her weight. Her face, which is wrinkled yet radiant, beams at the women spread out before her. Then, before anyone really expects her to and with a joyous vitality, she speaks.

My name is Ambaro Madar Hassan. I was born in a city called Hargeisa in the north west of Somalia. I do not know my age but I guess I am a hundred years old.

I have lived in this world for so many years. During this time, I have witnessed many happenings, both pleasant and tragic. I have lived through hard times as well as good times. The world is so amazing and the longer you live, the more experience you gather.

My mother died when I was very young and I was brought up by my grandmother. My father was a jeweller and all my brothers were trained to be jewellers but my sisters and I stayed at home and helped our grandmother with the household tasks. I spent most of my youth and adulthood in Bedouin territory where I bred and tended herds of camel, goats, sheep and cows and, at the same time, brought my children up. In my late fifties, I moved back to the city where I was born and brought up, Hargeisa, and settled with my daughter.

The happiest day of my life was the 26 June 1960, the day when my country became independent at last from colonial rule. I was present when the flag of our colonisers was pulled down and folded and a fresh blue flag with one white star in the middle was hoisted. Thousands of people came to watch the event and spent days at Hargeisa National Park. I joined in the singing, the cheering and the dancing. Everyone was in very high spirits. We thought the new flag would change our lives, end our suffering and struggle and bring us prosperity.

In May 1988, only a month away from the twenty-eighth anniversary of our independence day, I witnessed the most tragic and brutal incident in my life, the civil war between the military regime and the Somali National Movement rebels. Thousands of civilians died including women and children. Others fled to neighbouring countries.

I couldn't face having to leave the city where I was born, the city where my family has lived for six generations. I stayed behind and after my house was hit by the shelling and destroyed, I took shelter wherever possible. I lost everything I ever worked for in the war. I left my house completely empty-handed.

There is nothing worse than leaving your country, your roots, your family and friends behind, especially when you are a hundred years old. It is very hard to adapt to a new way of living so different to the one that you have always lived.

I spend all my time indoors and there is nothing for me to do. I do not know the people who live next door to me. I do not speak English and I rely on other people doing everything for me. Since my eyesight is not good, I cannot say much about the city of Sheffield, its landscape, buildings, roads or the city centre but I guess everything is completely different.

The civil war has not only changed my life but has also affected my personality, my character and my thinking. I have seen the suffering of children and women. I heard the horrible sound of gun shot and artilleries and shelling after shelling. I have witnessed the most awful scene of human suffering. I believe I have seen too much to cry.

I used to be a fussy person but I am no longer bothered about things or complain if things go wrong. I do not plan anymore, I just wait and see. I used to be a talkative person, I used to enjoy gossip, I used to notice everything. Now I am very quiet, my mind filled with the memories of war and recollections of my country before.

Most of the people I used to know have died. When I was young, I was adventurous and travelled a lot. I have only lived in Sheffield a year and it feels like ten. I do not think I'll travel again because I am very old and too weak to travel. It was exhausting travelling all the way from Hargeisa to Sheffield.

Maybe I am the oldest Somali person in Sheffield, in Britain or in Europe. It is amazing how the world is so big and so small. I was born, brought up and have always lived in Somalia, a country thousands of miles away. Overnight I found myself in a city I had never heard of - Sheffield.

When I go to bed at night, I dream about Hargeisa City, the markets, the people, the neighbours, the hills, the trees, the houses and the streets. But when I wake up, I realize I am in Sheffield. It feels like living in two worlds. I wish I had come here when I was younger. It would have been easier for me to adapt to this new way of life, learn the language, communicate with people and find out more about their culture and way of doing things.

It has been written that I have been in this world for so many years and that I come to Sheffield at this age. In my culture, it's a blessing to live long. My love of nature, my strength and determination have also helped me to survive longer and remain conscious. I can remember so many changes in the East African environment, politically and educationally. The climate, the way people think, the value of money, fashion and music have also changed. I believe the west has influenced some of these changes.

When I was younger, the air was cleaner, there were more trees and forests and there were less guns and shootings. We had sultans and tribe chiefs instead of presidents and prime ministers. We lived in houses designed, structured and built by us, rode our camels as transport, wore textiles and clothes woven and sewn by us, wore jewellery wrought by our fathers and brothers and shoes made by

local shoemakers. We knew nothing about New York, Tokyo and London.

People have lost their sense of love and respect for each other. They concentrate on power-seeking and money. The crises in East Africa are created by greed and selfishness. There is a Somalian saying 'The fox who ran faster than her steps couldn't keep up with the lions'. Many African leaders are in that state. The bad experience of colonial rule has left us with a colonised mind caught up in seeking power, and bad practices. The political, economic and social crises in East Africa are getting worse.

It doesn't look like I'll be around by the time solutions are found to the escalating problems in Africa but my prayer for peace, blessings and a better life for Africa will continue as long as I live. In the meantime, I'll close with two short poems - I long for my country and God bless the suffering.

God is great
I eat and I sleep
My life has little value
I long for my country
I long for the midday
Heat of the sun
I long for Edams
I long for the morning crow
Of the cock
I long for afternoon coffee
With friends
I long for the Sar parties
The camel milk
The morning greetings of neighbours

The doorstep of my house
To sit and watch the children play
The people passing by
I long for my country

God bless the suffering
women and children
wait helplessly for rescue
in the darkness of long, grim nights
children are orphaned
by merciless brutes
and are injured and maimed
by the cowardice
of evil men
God heal the suffering
children are disfigured
by hunger and disease

God bless all the suffering

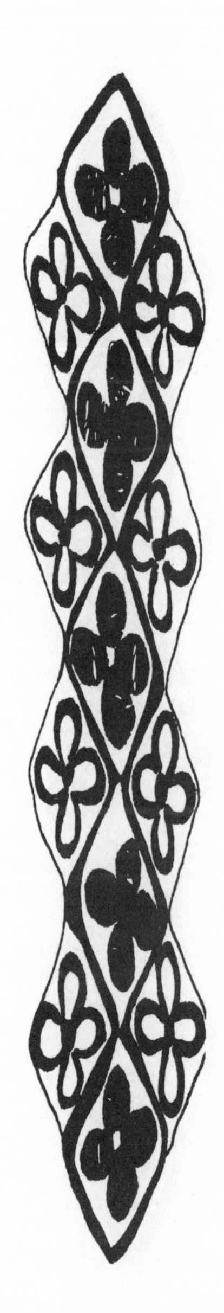

All the women rise to their feet. The sun is rising yellow pink in the corner of the sky. The moment of the final proclamation has arrived.

We want to commemorate the suffering of women in civil war situations and the fact that women and children are the ones who suffer most. In Hargeisa City, five women were stoned to death in 1992. Women are used time and again for political ends and as puppets for the Western media. When the five women were killed, accused of prostitution, there was no proof whatsoever. And the men they were alleged to be committing the sin with were never

prosecuted or pursued. A lot of people think the women were not prostitutes at all. One of the women was a widow over fifty with nine children. They were simply political targets. Their deaths served as a warning and a terrible threat to other women.

Our lives are intricately interwoven. When one woman is humiliated or attacked, we are all affected.

> We dedicate our night of stories to all East African women who have endured suffering through rape.
>
> We dedicate our night of stories to all East African women who have endured suffering through shellings.
>
> We dedicate our night of stories to all East African women who have lost their families.
>
> We dedicate our night of stories to all East African women who have been killed in the wars.
>
> We trust these stories will remind us eternally that all our lives are joined.

There is a shell for each story. One by one the shells are threaded and the stories released to the moonlight, the sea, the women on the shore, then out to the whole world.

These are some of our stories.

Shells on a woven cord.